AGATHA CHRISTIE

CONVITE PARA UM HOMICÍDIO

Um caso de Miss Marple

TRADUÇÃO
Maria Isabel Garcia

Rio de Janeiro, 2021

Título original: A murder is announced
© Agatha Christie Limited 1933

Direitos de edição da obra em língua portuguesa no Brasil adquiridos pela Casa dos Livros Editora LTDA. Todos os direitos reservados. Nenhuma parte desta obra pode ser apropriada e estocada em sistema de banco de dados ou processo similar, em qualquer forma ou meio, seja eletrônico, de fotocópia, gravação etc., sem a permissão do detentor do copyright.

Revisão Guilherme Bernardo e Maria Júlia Calsavara
Diagramação: Lúcio Nöthlich Pimentel
Projeto gráfico de capa: Maquinaria Studio

CIP-Brasil. Catalogação-na-fonte
Sindicato Nacional dos Editores de Livros, RJ

C469c Christie, Agatha, 1890-1976
    Convite para um homicídio : um caso de Miss Marple / Agatha Christie ; tradução Maria Isabel Garcia. - 1. ed. - Rio de Janeiro : HarperCollins Brasil, 2016.
    264p.

    Tradução de: A murder is announced
    ISBN 978.85.6980.939-5

    1. Ficção inglesa. I. Garcia, Maria Isabel. II. Título.

                  CDD 823
                  CDU 821.111-3

Rua da Quitanda, 86, sala 218 – Centro – 20091-005
Rio de Janeiro – RJ – Brasil
Tel.: (21) 3175-1030

Sumário

Cap. 1 — Convite para um homicídio 9
Cap. 2 — Café da manhã em Little Paddocks 22
Cap. 3 — Às 6h30 da tarde 29
Cap. 4 — O hotel Royal Spa 42
Cap. 5 — Sra. Blacklock, sra. Bunner 50
Cap. 6 — Julia, Mitzi, Patrick 61
Cap. 7 — Entre os presentes 69
Cap. 8 — Miss Marple entra em cena 84
Cap. 9 — A propósito de uma porta 100
Cap. 10 — Pip e Emma 109
Cap. 11 — Miss Marple toma um chá 121
Cap. 12 — Atividades matinais em Chipping Cleghorn 126
Cap. 13 — Atividades matinais em Chipping Cleghorn (cont.) 138
Cap. 14 — Excursão no passado 152
Cap. 15 — "Delícia Fatal" 161
Cap. 16 — O inspetor Craddock de volta 170
Cap. 17 — O álbum 176
Cap. 18 — As cartas 184

Cap. 19 — Reconstituição do crime 197

Cap. 20 — Miss Marple desaparece 209

Cap. 21 — Três mulheres 220

Cap. 22 — A verdade 234

Cap. 23 — Noite na casa do reverendo 237

Epílogo 261

*Para Ralph e Anne Newman,
em cuja casa pela primeira vez provei a
"Delícia Fatal"!*

Capítulo 1
Convite para um homicídio

I

Todas as manhãs, entre as 7h30 e as 8h30, menos aos domingos, Johnnie Butt percorria de bicicleta o vilarejo de Chipping Cleghorn, resfolegando furiosamente. À porta de todas as casas e bangalôs, parava para enfiar na caixa postal os jornais que os moradores haviam encomendado ao sr. Totman, cuja loja ficava na High Street. Assim, o coronel e a sra. Easterbrook recebiam o *The Times* e o *Daily Graphic*; a sra. Swettenham, o *The Times* e o *Daily Worker*; para as senhoritas Hinchcliffe e Murgatroyd iam o *Daily Telegraph* e o *News Chronicle*; e a sra. Blacklock assinava o *Telegraph*, o *Daily Mail* e o *The Times*.

Em todas essas casas — na verdade, em todas as casas de Chipping Cleghorn — ele entregava, às sextas-feiras, um exemplar da *North Benham News and Chipping Cleghorn Gazette*, mais conhecido nas redondezas como, simplesmente, "a *Gazette*".

Dessa forma, nas manhãs de sexta-feira, a maioria dos moradores de Chipping Cleghorn, após uma rápida olhadela nas manchetes do jornal diário ("Situação internacional crítica!", "Reúne-se a Assembleia Geral da ONU!", "Polícia caça assassino da datilógrafa Loura!", "Vinte mortes por envenenamento no hotel de veraneio" etc.), abria as páginas da *Gazette* e mergulhava nas notícias locais. Depois de examinar superficialmente as Cartas dos Leitores (onde se espelhavam as disputas e brigas da vida no interior), nove em cada dez leitores se voltavam para a coluna de anúncios. Ali se agrupavam, sem qualquer ordem, objetos à venda ou perdidos, apelos frenéticos por empregados domésticos, inúmeras mensagens relativas a cães, aves domésticas e equipamento de jardinagem, e vários outros itens de interesse para os membros da pequena comunidade de Chipping Cleghorn.

Aquela sexta-feira, 29 de outubro, não era exceção...

II

A sra. Swettenham afastou da testa duas rebeldes mechas grisalhas e abriu o *The Times*; com um olhar profundamente desinteressado, examinou as páginas internas, chegando à conclusão de que quaisquer notícias realmente interessantes, caso existissem, haviam sido camufladas pelo jornal com a eficiência costumeira. Nascimentos, Casamentos & Falecimentos mereceram um exame mais atento, principalmente o último item. Só então, com o dever cumprido, ela abandonou o *The Times* e, sofregamente, entregou-se à *Chipping Cleghorn Gazette*.

Pouco depois, seu filho Edmund, ao entrar na sala, encontrou-a mergulhada na coluna de anúncios.

— Bom dia, meu filho — disse a sra. Swettenham. — Os Smedley estão vendendo aquele Daimler deles. É um 1935... muito velho, não acha?

Resmungando algo ininteligível em resposta, o filho se serviu de uma xícara de café e duas torradas. Sentando-se, abriu o *Daily Worker*, apoiando-o contra o porta-torradas.

— "Filhotes de bulmastife" — continuou a ler a sra. Swettenham. — Juro que não sei como essa gente consegue dinheiro para alimentar cachorros tão grandes hoje em dia... juro que não sei... Ora, Selina Lawrence está pedindo uma cozinheira outra vez. Não adianta nada anunciar no jornal, eu sei que não adianta. E ainda por cima ela não pôs o endereço, só a caixa postal, assim é impossível mesmo. As empregadas fazem questão absoluta de saber onde vão trabalhar... "DENTADURAS"... não sei por que se vendem tantas dentaduras... "SEMENTES; ESPECIALMENTE SELECIONADAS." Não são muito caras, não... Ah, tem aqui uma moça que busca uma colocação interessante; aceita viajar. Ora, essa! Quem não aceita?... "DACHSHUNDS"... jamais gostei de dachshunds... não porque sejam de origem alemã, é claro; esse problema já acabou há tanto tempo... mas é que não gosto mesmo da raça. Sim, sra. Finch?

A porta se abrira, deixando entrever a cabeça e o busto de uma mulher de ar triste, usando uma velha boina de veludo.

— Bom dia, madame — disse ela. — Posso começar a limpeza?

— Ainda não; nós ainda não terminamos — disse a sra. Swettenham, acrescentando, para consolá-la: — Estamos quase acabando.

A sra. Finch, olhando para Edmund e seu jornal, fungou com descrença e saiu.

— Eu mal comecei — disse Edmund, quase ao mesmo tempo em que sua mãe advertia:

— Gostaria tanto que você não lesse esse jornal horrível, meu filho. A sra. Finch o detesta.

— E o que têm as minhas opiniões políticas a ver com a sra. Finch?

— Ora, você nem mesmo é um proletário — insistiu ela. — Você, para falar a verdade, não trabalha em coisa alguma.

— Isso não é verdade — replicou Edmund, indignado. — Estou escrevendo um livro.

— Eu estou falando de trabalho de verdade — disse a sra. Swettenham. — E temos que nos preocupar com a sra. Finch, sim, senhor. Se ela brigar conosco e não vier mais, quem é que vamos arranjar?

— Ponha um anúncio na *Gazette* — disse Edmund, sorrindo.

— Eu agora mesmo estava dizendo que não adianta. Ah, meu Deus, hoje em dia, se a gente não tem uma velha empregada de confiança que faça tudo na cozinha, não há salvação alguma.

— E por que não temos uma velha empregada de confiança? Por que a senhora não me arranjou uma ama de leite quando eu era pequeno? Estaria aqui em casa até hoje... Não pensou nisso?

—Você teve uma aia, meu filho.

— Não é desculpa; foi falta de planejamento — resmungou Edmund.

A sra. Swettenham não o ouviu; tinha novamente mergulhado nos anúncios do jornal.

— "Vende-se cortador de grama com motor, usado." Pensando bem... Meu Deus, por esse preço!... Mais dachshunds... "Escreva ou mande me avisar, Pobre Desesperado"... esses apelidos são sempre engraçados..."Cocker spaniels"... Lembra-se da nossa Susie, Edmund? Parecia gente; entendia tudo o que se dizia a ela... "Aparador Sheraton; vende-se barato. Antiguidade autêntica. Sra. Lucas, Dayas Hall"... Mas essa mulher tem coragem! Imagine, um Sheraton...!

A sra. Swettenham fungou e continuou a ler:

— "Foi tudo um engano, querida. Amo-a como sempre. Espero-a na sexta-feira"... Deve ser uma briga de namorados, ou será que é o código de alguma quadrilha de ladrões?... Mais dachshunds! Francamente, acho que andam exagerando nessa mania de criar dachshunds! Há tantas raças boas por aí. O seu tio Simon costumava criar manchester terriers. Tão engraçadinhos! Gosto quando o cachorro tem patas compridas... "Senhora que viaja vende conjunto azul-marinho"... Não diz o preço nem o tamanho..."Convida-se para um casamento"... não, "para um homicídio"... O quê? Como pode ser? Edmund, Edmund... ouça isto: "Convida-se para um homicídio, a ter lugar sexta-feira, 29 de outubro, em Little Paddocks, às 18h30. Espera-se a presença de todos os amigos da família; não haverá outra convocação." Que coisa extraordinária! Edmund!

— O que foi? — perguntou Edmund, levantando os olhos do seu jornal.

— Sexta-feira, 29 de outubro... Mas é hoje.

— Deixe-me ver — O rapaz lhe tirou o jornal das mãos.

— O que será que isso quer dizer? — perguntou a sra. Swettenham, transbordando de curiosidade.

Edmund, em dúvida, coçou o nariz.

— Deve ser uma festa. No mínimo, querem brincar de "jogo do assassino".

— Oh! — decepcionou-se a sra. Swettenham. — Que maneira mais esquisita de convidar as pessoas para uma festa... assim, no meio dos anúncios... Não faz o gênero da Letitia Blacklock. Ela é uma senhora muito sensata.

— Pode ter sido ideia dos sobrinhos.

— Mas um convite assim, em cima da hora... Hoje mesmo. Você acha que devíamos ir?

— Diz aí que "espera-se a presença de todos os amigos", não diz?

— Pois eu acho muito idiotas essas maneiras modernas de convidar as pessoas — respondeu a sra. Swettenham, com ar decidido.

— Mas você não é obrigada a ir, mamãe.

— Não sou — ela teve de concordar.

Houve um breve silêncio.

— Você vai mesmo comer essa última torrada, Edmund?

— Acho mais importante eu me alimentar direito do que deixar aquela velha megera tirar a mesa.

— Shh, meu filho, fale baixo... ela vai ouvir... Edmund, como é esse "jogo do assassino"?

— Não sei direito... Parece que cada pessoa recebe uma carta ou um pedaço de papel... Uma carta indica quem é o assassino, e outra o detetive. Apaga-se a luz, e o assassino dá um tapinha no ombro de alguém, que tem de gritar e fingir que morreu...

— Deve ser emocionante.

— Deve ser uma chateação. Eu não vou.

— Que bobagem, Edmund — disse, resoluta, a sra. Swettenham. — Eu vou, e você vai comigo. Está resolvido!

III

— Archie — disse a sra. Easterbrook ao marido —, ouça isto.

O coronel Easterbrook não lhe deu a menor atenção; lia um artigo no *Times*, pontuando a leitura com rosnados de irritação.

— O problema desses sujeitos — disse ele — é que não sabem nada, nada sobre a Índia! Nada!

— Eu sei, meu bem, eu sei...

— Se soubessem, não escreveriam tantas bobagens.

— Pois é, meu amor. Archie, ouça só: "Convida-se para um homicídio, a ter lugar sexta-feira, 29 de outubro [é hoje], em Little Paddocks, às 18h30. Espera-se a presença de todos os amigos da família; não haverá outra convocação."

Triunfante, ela fez uma pausa. O coronel Easterbrook a encarou, pacientemente, mas sem grande interesse.

— É um "jogo do assassino".

— Oh.

— Apenas isso. Mas — ele sorriu — pode ser bastante divertido, quando é bem-feito. É preciso ser bem organizado, por alguém que tenha experiência. Há um sorteio, alguém é o "assassino", sem que os outros saibam. Apaga-se a luz. O "assassino" escolhe sua vítima, que tem de contar até vinte, antes de gritar. Então, quem tiver sido sorteado para ser o detetive interroga os outros. Onde estavam, o que haviam feito, enfim, tenta apanhar o culpado numa contradição. É uma brincadeira interessante... se o detetive... ora, se ele tem alguma experiência com trabalho policial.

— Tem de ser alguém como você, Archie. Você teve tantos casos complicados na sua província...

O coronel Easterbrook sorriu, complacente, torcendo carinhosamente a ponta do bigode.

— É verdade, Laura — disse ele. — Eu bem que poderia ensinar uma ou duas coisas a esse pessoal.

E se aprumou na cadeira.

— A sra. Blacklock deveria ter pedido que você ajudasse a preparar a brincadeira.

O coronel fungou.

— Ora, há um rapaz morando lá agora. Deve ser ideia dele... é sobrinho dela ou coisa parecida, não? Mas é esquisito publicar a coisa no jornal.

— Está na coluna dos classificados. Podíamos nem ter visto. Mas é um convite, não é, Archie?

— Se for, é muito estranho. Uma coisa eu garanto: comigo não vão contar.

— Ah, Archie... — A voz da sra. Easterbrook se esganiçou numa súplica.

— Muito em cima da hora. Como sabem que eu não tinha outro compromisso?

— Mas você não tem, não é, querido? — A sra. Easterbrook desceu a um tom persuasório. — E eu acho, sabe, Archie, que você deveria ir... pelo menos, para dar uma mãozinha à pobre sra. Blacklock. Tenho certeza de que ela conta com você para o sucesso da festa. Você sabe tanta coisa sobre a polícia, seus métodos e tudo o mais... Se você não for, na certa será um fracasso. Afinal de contas, precisamos ajudar os vizinhos.

A sra. Easterbrook inclinou para um lado a sua cabecinha artificialmente loura e abriu o mais que pôde os seus olhinhos azuis.

— Bom, Laura, se você acha mesmo isso...

O coronel Easterbrook mais uma vez retorceu a ponta do bigode grisalho, contemplando com carinho sua rechonchuda esposa, pelo menos trinta anos mais moça que ele.

— Para falar a verdade, acho que é o seu dever, Archie — disse ela, solenemente.

IV

A *Chipping Cleghorn Gazette* também fora entregue em Boulders, três bangalôs pitorescamente conjugados numa só residência, onde moravam as senhoritas Hinchcliffe e Murgatroyd.

— Hinch?

— O que é, Murgatroyd?
— Onde você está?
— Galinheiro.
— Ah.

A srta. Murgatroyd aproximou-se da amiga, atravessando cautelosamente o gramado molhado. A outra, de calças compridas de veludo e blusão de corte militar, estava ocupada misturando porções de ração balanceada numa bacia, cheia de cascas de batata e cabeças de repolho. A poção fumegante exalava um odor repugnante.

As duas amigas não se pareciam. A srta. Hinchcliffe tinha os cabelos curtos, como um homem, e sua pele era áspera, marcada pelo tempo. A srta. Murgatroyd, gorda e bonachona, usava uma saia de *tweed* xadrez e um suéter folgado, de um azul brilhante. Seus cabelos grisalhos, normalmente indisciplinados, estavam em total desordem; ela própria estava meio sem fôlego.

— Na *Gazette* — resfolegou ela. — Veja só: o que pode ser isto? "Convida-se para um homicídio, a ter lugar sexta-feira, 29 de outubro, em Little Paddocks, às 18h30. Espera-se a presença de todos os amigos da família; não haverá outra convocação."

Terminando a leitura, sem fôlego, ela ficou em silêncio, à espera de um pronunciamento esclarecedor.

— Besteira — decretou a srta. Hinchcliffe.
— Eu sei, mas o que quer dizer?
— Deve valer por um drinque, pelo menos.
— Você acha mesmo que é um convite?
— Se é ou não, descobriremos quando chegarmos lá — disse a srta. Hinchcliffe. — Deve ser *sherry*, e do ruim. É melhor sair de cima da grama, Murgatroyd. Você está de chinelos, e eles já estão ensopados.

— Ah, meu Deus.

A srta. Murgatroyd contemplou com desânimo os próprios pés.

— Quantos ovos, hoje?
— Sete. Aquela galinha desgraçada ainda está arredia. Preciso prendê-la de novo.

— Mas é um convite muito esquisito, não acha? — perguntou Amy Murgatroyd, voltando ao anúncio na *Gazette*. Sua voz tinha, pelo menos de leve, um tom sonhador.

A amiga estava com o pensamento voltado para assuntos mais importantes. Estava preocupada com galinhas recalcitrantes, e nenhum anúncio de jornal, por mais enigmático que fosse, poderia desviar sua atenção. Enfrentando sem medo o terreno enlameado, cercou e capturou uma galinha pintada, que cacarejou um protesto indignado.

— Muito melhor é criar patos — disse a srta. Hinchcliffe. — Muito menos trabalho.

V

— Mas que ótimo! — disse a sra. Harmon ao marido, o reverendo Julian Harmon, quando ambos tomavam o café da manhã. — Vai haver um homicídio na casa da sra. Blacklock.

— Um homicídio? — perguntou o marido, levemente surpreso. — Quando?

— Hoje à tarde... quero dizer, à noite: às 18h30. Ah, mas que azar, querido, é na hora de sua aula de catecismo. Que azar... você gosta tanto de homicídios!

— Não tenho a menor ideia do que você está falando, Bunch.

A sra. Harmon, que adquirira muito cedo o apelido de Bunch graças à forma esférica de seu rosto e de seu corpo, chamava-se, na realidade, Diana. Ela lhe passou o jornal por cima da mesa.

— Aí. No meio das dentaduras e dos pianos de segunda mão.

— Mas que anúncio extraordinário...

— Não é mesmo? — disse a sra. Harmon, feliz. — Nunca pensei que a sra. Blacklock se interessasse por brincadeiras de assassinato; deve ser ideia dos Simmons, embora Julia Simmons não me pareça gostar de homicídios. Ah, não me conformo que você não possa ir, querido. Mas eu vou, e depois lhe conto tudo. Por mim, eu não iria: não gosto muito de brincadeiras que têm de ser no escuro. Fico logo com medo. Vou rezar para não ser assassinada. Se alguém puser a mão no meu ombro e sussurrar: "Você está morta", meu coração vai saltar de tal maneira que sou capaz de morrer de verdade. Acha que isso pode acontecer?

— Não, Bunch. Acho que você vai viver ainda muitos anos... ao meu lado.

— E morrer no mesmo dia e ser enterrada no mesmo túmulo. Que lindo.

A ideia fez a sra. Harmon sorrir de orelha a orelha.

—Você parece muito feliz — comentou, sorrindo, o marido.

— E quem não seria feliz no meu lugar? — perguntou ela, quase com surpresa. — Com você, Susan, Edward e todos gostando de mim sem se importarem com a minha burrice. E esta casa, tão grande e tão bonita para morar!

O olhar do reverendo Julian Harmon passeou pela sala de jantar, espaçosa, mas vazia; ele concordou, sem grande convicção.

— Há quem ache ser a pior coisa do mundo viver nesta casa, tão vazia e tão cheia de correntes de ar.

— Bem, eu gosto de quartos grandes. Mesmo que a gente não arrume a casa e deixe tudo pelos cantos, há sempre espaço de sobra.

— Mas falta aquecimento central e tantas outras coisas. Deve ser um trabalhão para você, Bunch, tomar conta de tudo.

— Não é, não, Julian. Eu me levanto às 6h30 para acender o aquecedor e depois fico andando para cima e para baixo até arrumar tudo; às oito horas já está tudo pronto. E fica tudo direitinho, não fica? Eu passo cera e envernizo os móveis, e ainda ponho folhas secas nos jarros, por causa do cheirinho bom que elas têm. Uma casa grande não dá muito mais trabalho que uma pequena, juro que não dá. A gente anda mais depressa, não fica batendo com o traseiro nos móveis durante a limpeza, como acontece em cômodos pequenos. E eu gosto de dormir num quarto grande e frio; é tão gostoso ficar embaixo das cobertas, sentindo o frio só na ponta do nariz. E tem mais: a casa pode ser de qualquer tamanho, que o número de batatas a descascar e de pratos a lavar é sempre o mesmo. Pense, também, como é bom para Edward e Susan terem um quarto enorme para brincar, onde eles podem armar o trem elétrico e dar festas para as bonecas, sem nunca precisar desmontar tudo e guardar. Além disso, é sempre bom ter uma casa onde sobra espaço para outras pessoas virem morar. Jimmy Symes e Johnnie Finch... se não fosse a nossa casa, eles teriam de ir morar com os genros. E você sabe muito bem, Julian, que nunca é agradável morar com genros e noras. Eu sei que você gosta muito da mamãe, mas tenho certeza de que não gostaria de começar a vida morando com papai e ela. Eu também não gostaria. Nunca me sentiria adulta.

Julian sorriu para ela.

— De certa forma, você ainda é uma garotinha, Bunch.

O problema com Julian Harmon é que a natureza o fizera um homem de sessenta anos, e ainda faltavam 25 para que ele chegasse lá.

— Eu sei que sou burra...

— Mas, Bunch, você não é burra. É bastante inteligente, mesmo.

— Não sou, não. Não sou nada intelectual. Mas eu me esforço. E gosto, gosto de verdade, quando você conversa comigo sobre livros, história, essas coisas. Só que não foi muito boa ideia você ler Gibbon[1] para mim depois do jantar. Com o frio lá fora e o calorzinho da lareira, há alguma coisa em Gibbon que faz a gente dormir.

Julian riu.

— Mas eu gosto de ouvir você falar, Julian. Conte-me de novo aquela história do velho vigário que fez um sermão sobre Assuero.

— Mas você já sabe de cor, Bunch.

— Ah, conte de novo. Por favor.

O marido obedeceu.

— Foi o velho Scrymgour. Alguém entrou na sua igreja um dia e o viu debruçado no púlpito, pregando com o maior entusiasmo para duas senhoras idosas, encarregadas da limpeza. Estava sacudindo o dedo para elas e dizendo: "Ah! Eu sei muito bem o que as senhoras pensam. Pensam que o grande Assuero da

---

[1] Gibbon — Autor de *Declínio e queda do Império Romano*, obra famosa, erudita, pesada. (N. da T.).

Primeira Lição era Artaxerxes II. Mas não era!" E, triunfante: "Ele era Artaxerxes III."

Julian não achava a história particularmente engraçada, mas Bunch sempre se dobrava de rir. Sua risada soou como uma cascata.

— Coitado! — exclamou ela. — Você vai ser igualzinho um dia, Julian.

Julian, contrafeito, concordou com humildade.

— Eu sei. Tenho a impressão de que nunca consigo falar com a simplicidade necessária.

— Eu não me preocuparia tanto — disse Bunch, levantando-se e começando a recolher numa bandeja os pratos do café. — A sra. Butt, ontem, me contou que o marido, que nunca ia à igreja e era praticamente ateu, tem vindo todos os domingos para ouvir o seu sermão.

Ela continuou, numa imitação bem razoável da voz ultra-afetada da sra. Butt:

— "Foi no outro dia mesmo, madame, que Butt disse ao sr. Timkins, de Little Worsdale, que nós temos cultura de verdade aqui em Chipping Cleghorn. Não é como em Little Worsdale, onde o sr. Gross fala como se todos fossem crianças ignorantes. Temos cultura de verdade, foi o que Butt disse. O nosso vigário é um homem finamente educado... em Oxford, não em Milchester, e não esconde a sua erudição. Conhece tudo sobre os romanos e os gregos, e também sobre os babilônios e os assírios. E até mesmo o gato da paróquia, Butt disse, tem o nome de um rei assírio!" Eis a sua glória, querido — concluiu Bunch, triunfante. — Meu Deus, não posso ficar conversando ou não acabo tão cedo o serviço. Vamos, Tiglath Pileser, tenho umas espinhas de peixe para você.

Abrindo a porta e habilmente mantendo-a aberta com o pé, ela atravessou depressa o umbral, levando a bandeja carregada enquanto cantava, com mais entusiasmo do que afinação, sua versão particular de uma canção popular:

É um belo dia para assassinatos, ora, se é!
Como um lindo dia de maio.
E na cidade nenhum detetive existe...

O ruído dos talheres sendo jogados na pia abafou os versos seguintes, mas, quando o reverendo Julian Harmon já estava na porta da rua, chegou até ele o final, entoado a plenos pulmões:

— *E hoje vamos todos matar alguém!*

Capítulo 2
Café da manhã em Little Paddocks

I

Também em Little Paddocks, desfrutavam o café da manhã.

A sra. Blacklock, uma mulher de sessenta anos, dona da casa, estava sentada à cabeceira da mesa. Usava um costume de *tweed* — e, com ele, numa estranha combinação, um colar de grandes pérolas artificiais. Estava lendo o *Daily Mail*. Julia Simmons languidamente folheava o *Telegraph*; Patrick Simmons conferia as palavras cruzadas do *Times*. A sra. Dora Bunner dedicava toda a sua atenção ao semanário local.

A sra. Blacklock sorriu de algo que lera, enquanto Patrick murmurava:

— Ah, é aderente, e não adesivos; foi aqui que errei...

De súbito, a sra. Bunner emitiu um som estranho, parecendo uma galinha assustada.

— Letty... Letty... você viu isto? O que poderá ser?

— O que é, Dora?

— Um anúncio esquisitíssimo. E fala em Little Paddocks. Mas o que poderá ser?

— Se você me deixar ler, Dora...

Obediente, a sra. Bunner entregou o jornal à mão estendida pela sra. Blacklock, apontando o anúncio com um dedo trêmulo.

— Olhe só, Letty.

A sra. Blacklock olhou. Seus olhos se arregalaram. Desconfiada, olhou em torno de si. E leu o anúncio em voz alta.

— "Convida-se para um homicídio, a ter lugar sexta-feira, 29 de outubro, em Little Paddocks, às 18h30. Espera-se a presença de todos os amigos da família; não haverá outra convocação."

Acrescentou, rispidamente:

— Patrick, isso foi ideia sua?

Seus olhos se fixaram, sem pestanejar, no rosto bonito e leviano do jovem sentado na outra extremidade da mesa.

O desmentido de Patrick foi instantâneo:

— Nada disso, tia Letty! Que ideia é essa? Eu não tenho nada com isso!

— Você seria bem capaz... — respondeu, séria, a sra. Blacklock. — Você é bem capaz de achar que seria divertido.

— Uma brincadeira minha? Nem pense nisso!

— E você, Julia?

Julia, aparentando desinteresse, disse:

— Claro que não.

— Será que a sra. Haymes... — murmurou a sra. Bunner, olhando para um lugar vazio, onde alguém tomara café mais cedo.

— Não acredito que a nossa Phillipa tenha se metido a engraçada — disse Patrick. — Ela é uma jovem senhora muito séria.

— Mas para que fizeram isso, afinal de contas? — perguntou Julia, bocejando. — Por quê?

Pausadamente, a sra. Blacklock disse:

— Acho... Acho que deve ser um trote bobo.

— Mas por quê? — exclamou Dora Bunner. — Por que razão? Se for brincadeira, é muito tola. E de muito mau gosto!

Suas bochechas tremiam de indignação, e seus olhos míopes soltavam faíscas de raiva.

A sra. Blacklock sorriu para ela.

— Também não é preciso se aborrecer tanto assim, Bunny — disse ela. — É só uma brincadeira de alguém, mas bem que eu gostaria de saber quem foi.

— O anúncio diz que é hoje — lembrou a sra. Bunner.

— Hoje, às 18h30. O que você acha que vai acontecer?

— A morte! — exclamou Patrick, com voz sepulcral. — A morte deliciosa!

— Cale a boca, Patrick — disse a sra. Blacklock, enquanto a sra. Bunner soltava um gemido.

— Eu só estava me lembrando daquele bolo especial que Mitzi faz — desculpou-se Patrick. Nós sempre o chamamos de Morte Deliciosa.

A sra. Blacklock sorriu.

— Mas, Letty, você acha mesmo... — insistiu a sra. Bunner.

A amiga lhe cortou a frase com bom humor:

— Eu sei muito bem o que vai acontecer às 18h30 — disse ela, calmamente. — Vamos ter metade da cidade aqui dentro de casa, todos doidos de curiosidade. É bom ver se temos algum xerez em casa.

II

— Você está preocupada, não está, Lotty?

A sra. Blacklock teve um sobressalto. Estava sentada à sua escrivaninha, desenhando peixinhos num pedaço de papel, distraída. Olhou para a amiga, cuja expressão era de ansiedade.

Na verdade, não sabia o que dizer a Dora Bunner. Não queria que Bunny ficasse nervosa ou preocupada. Pensativa, demorou a responder.

Ela e Dora Bunner haviam sido colegas de escola. Dora fora uma menina bonita, de cabelos louros e olhos azuis, embora muito pouco inteligente. Isso não fazia, então, muita diferença — sua alegria, sua beleza e seu temperamento bastavam para torná-la uma companhia agradável. Na opinião da amiga, ela deveria ter se casado com um simpático oficial do Exército ou então com um advogado de cidade pequena. Tinha muitas qualidades: era afetuosa, devotada e leal. Mas a sorte não fora generosa com Dora Bunner. Ela tivera de ganhar a vida. Tentara diversas atividades, sempre com muito empenho e pouca competência.

As duas amigas haviam se afastado uma da outra. Seis meses antes, entretanto, a sra. Blacklock recebera uma carta, patética e não muito coerente. Dora estava doente. Vivia em um quarto humilde, tentando sobreviver com a sua pequena pensão. Tentara fazer tricô para vender, mas os seus dedos estavam endurecidos pelo reumatismo. Lembrara os dias de colégio... A vida as havia separado... Mas talvez... quem sabe... a sua velha amiga pudesse ajudá-la.

A sra. Blacklock reagira impulsivamente. Pobre Dora, tão bonitinha e tão tola. Trouxe-a para Little Paddocks, com o pretexto reconfortante de que "a casa está ficando muito grande para mim, e preciso de alguém para me ajudar a tomar conta de tudo". Não seria por muito tempo — o médico já a prevenira; apesar disso, Dora era, às vezes, um fardo pesado demais. Confundia tudo, perturbava as sempre temperamentais empregadas estrangeiras, errava a quantidade de roupa para lavar, perdia contas e cartas — enfim, vez por outra levava a competente sra. Blacklock ao desespero total. Pobre cabeça-tonta, tão leal, tão ansiosa por ajudar, tão orgulhosa e contente por se sentir útil — e, lamentavelmente, tão inútil.

— Chega, Dora. Lembre-se do que eu lhe pedi...

— Oh — desculpou-se a sra. Bunner. — Eu sei. Esqueci. Mas... Mas você está, não está?

— Preocupada? Não. Pelo menos — acrescentou, com sinceridade na voz — não muito. Você está falando daquele anúncio bobo na *Gazette*, não?

— Estou... Mesmo que seja uma brincadeira, eu acho que é uma brincadeira... mal-intencionada.

— Mal-intencionada?

— É. Tenho a impressão de ser alguma coisa feita com raiva. Quer dizer... não é uma brincadeira simpática.

A sra. Blacklock a encarou. Os olhos pacíficos, a boca obstinada, o nariz levemente arrebitado. Pobre Dora, tão exasperante, tão confusa, tão devotada, um problema e tanto. Uma velha tola e, no entanto, estranhamente sensata, quase que por instinto.

— Acho que você tem razão, Dora — disse a sra. Blacklock.
— Não é uma brincadeira simpática.

— Eu não gosto nada disso — disse Dora Bunner, com insuspeita energia. — Assusta-me.

Acrescentou, inesperadamente:

— E assusta você também, Letitia.

— Bobagem — replicou a sra. Blacklock, enfática.

— É perigoso. Tenho certeza de que é. Como aquelas pessoas que mandam bombas para a gente dentro de caixas.

— Meu bem, é apenas algum idiota tentando ser engraçado.

— Mas acontece que não é engraçado.

Na verdade, não era nada engraçado. A expressão da sra. Blacklock denunciava seus pensamentos, e Dora exclamou, triunfante:

— Eu sei! Eu sei que você também acha!

— Mas, Dora, querida...

Parou. Pela porta, irrompeu uma jovem tempestuosa, cujo generoso busto arfava sob um suéter apertado. Vestia uma saia bizarramente colorida, e suas longas tranças, negras e lustrosas, estavam presas à cabeça em diversas voltas. Seus olhos escuros faiscavam.

— Posso falar com senhora, sim, por favor, não? — disse ela, enfaticamente.

A sra. Blacklock suspirou:

— Claro, Mitzi, o que é?

Às vezes, ela pensava que seria melhor fazer todo o trabalho da casa, inclusive cozinhar, para não ter de aturar as explosões daquela refugiada de guerra.

— Já vou dizer... Posso falar, não posso? Senhora recebe meu aviso... agora, imediato... Peço demissão... vou embora, imediato!

— Mas por quê? Alguém a aborreceu?

— Sim, aborrecida, estou, sim — afirmou Mitzi, dramaticamente. — Não quero morrer! Uma vez, já, na Europa, eu escapei. Minha família, toda inteira, morta, mataram todos, mãe, irmãozinho, sobrinha tão bonitinha... todos, todos mortos. Mas eu fugi... bem escondida. Vim para Inglaterra. Trabalhar. Trabalho que nunca... nunca faria em minha terra... eu...

— Eu sei de tudo isso — disse a sra. Blacklock, secamente. Na verdade, não era a primeira nem a segunda vez que ouvia a história. — Mas por que você quer ir embora agora?
— Porque eles vêm aí, de novo, para me matar!
— Quem?
— Os inimigos. Nazistas! Talvez, desta vez, vêm os bolcheviques. Descobrem que eu estou aqui. Vêm para me matar. Eu li... é verdade... eu li no jornal!
— Ah, a *Gazette*, não foi?
— Aqui, escrito aqui. — Mitzi apresentou o jornal, que trazia atrás das costas. — Então... aqui diz homicídio. Em Little Paddocks. Aqui, não é? Hoje, 18h30. Ah! Eu não vou esperar para ser assassinada... não, senhora!
— Mas por que isso há de ser com você? É... Nós achamos que seja uma brincadeira.
— Brincadeira? Brincadeira, matar pessoas?
— Não, claro que não. Mas, minha filha, se alguém quisesse matá-la, não ia anunciar no jornal, não é mesmo?
— A senhora acha que não?
Mitzi mostrou-se um tanto abalada.
— Acha, talvez, que não vão matar ninguém? Talvez é a senhora que eles vêm matar, hein?
— Tenho certeza de que ninguém quer me matar — disse a sra. Blacklock, sorrindo. — E, francamente, Mitzi, não sei por que alguém ia querer matá-la. Para quê?
— Ah, gente muito ruim... muito malvada. A senhora não sabe. Mãe, irmãozinho, a sobrinha tão bonitinha...
— Eu sei, eu sei... — A sra. Blacklock cassou-lhe a palavra com um gesto enérgico. — Mas posso garantir que ninguém quer matar você, Mitzi. É claro que, se você quiser, pode ir embora daqui, mesmo sem aviso prévio. Não posso impedi-la. Mas acho que você será muito tola se fizer isso.
E, vendo o ar de indecisão da empregada, acrescentou:
— Com aquela carne que veio hoje do açougueiro, vamos fazer um cozido para o almoço. Achei muito dura.

— Fazer um *goulash*, um *goulash* especial.

— Pode dar o nome que quiser. Outra coisa: use aquele resto de queijo para fazer uns canapés. Acho que teremos visitas esta noite.

— Esta noite? Por que esta noite?

— Às 18h30.

— Mas não é a hora do jornal? Para que eles vêm? Por quê?

— Vêm para o velório — disse a sra. Blacklock, com uma piscadela. — Pode voltar lá para dentro, Mitzi. Estou ocupada. E feche a porta — acrescentou, com firmeza. — Por enquanto, pelo menos esse problema está resolvido — disse, quando a porta se fechou atrás de uma Mitzi intrigada e confusa.

— Você é tão eficiente, Letty — disse, com admiração, a sra. Bunner.

Capítulo 3
Às 6h30 da tarde

I

— Ora, muito bem, aqui estamos todos — disse a sra. Blacklock, passeando o olhar pela sala de estar. As cortinas cor-de-rosa, os vasos de bronze com crisântemos, o pequeno jarro de violetas e a caixa de prata com cigarros, na mesinha perto da parede; a bandeja com copos e garrafas na mesa de centro.

Little Paddocks era uma casa de tamanho médio, construída em estilo vitoriano. Tinha uma varanda longa e estreita e janelas com persianas verdes. A sala de estar, também comprida e estreita, e que não recebia muita luz por causa do teto da varanda, tinha, originalmente, uma porta dupla em uma das extremidades, dando para uma saleta com uma janela saliente. Uma geração anterior retirara a porta dupla, substituindo-a por *portières* de veludo. A sra. Blacklock dispensara as *portières*, e as duas salas se transformaram numa só, divididas por um arco. Havia uma lareira em cada extremidade; nenhuma estava acesa, embora o ambiente estivesse levemente aquecido.

— A senhora acendeu o aquecimento central — disse Patrick.

A sra. Blacklock concordou.

— O tempo tem estado tão úmido ultimamente. Dava para sentir a umidade na casa toda; por isso, pedi a Evans que o acendesse antes de sair.

— Gastando o seu precioso coque? — perguntou Patrick, irônico.

— Pois é, o meu precioso coque. Mas, se não fosse ele, seria o meu carvão, mais precioso ainda. Você sabe que o Departamento de Combustível não nos permite comprar nem mesmo aquela quota semanal ridícula, a não ser quando podemos provar que não temos outros meios de cozinhar.

— Acho que já houve um tempo em que todo mundo tinha carvão e coque à vontade, não? — perguntou Julia, como quem falasse de um país distante.

— Já, sim, e muito mais barato.

— E as pessoas podiam comprar o quanto quisessem, sem assinar declaração nenhuma, e nunca faltava? Havia estoques tão grandes assim?

— De todos os tipos e qualidades, e nada de pedras como hoje em dia.

— Deve ter sido um mundo maravilhoso — disse Julia, com voz sonhadora.

A sra. Blacklock sorriu.

— Relembrando, eu também acho. Mas sou uma velha. É natural que eu prefira os meus tempos. Vocês, moços, deveriam pensar diferente.

— Eu não precisaria trabalhar — disse Julia. — Poderia ficar em casa, arrumando as flores, escrevendo cartas... Por que naquele tempo as pessoas viviam escrevendo cartas?

— Porque não viviam penduradas no telefone — disse a sra. Blacklock, sorrindo com os olhos. — Acho que você nem sabe como escrever uma cartinha, Julia.

— No estilo daquele *Manual do missivista elegante* que descobri outro dia, garanto que não! Era uma delícia! Ensinava até como recusar uma proposta de casamento de um viúvo.

— Duvido que você gostaria de ficar em casa tanto quanto pensa — disse a sra. Blacklock. — Havia deveres, não se esqueça. Na verdade — ela continuou, séria —, eu não sou muito indicada para falar. Bunny e eu — sorriu para Dora Bunner, com amizade — entramos muito cedo no mercado de trabalho.

— Ah, isso é verdade, ora, se é — concordou a sra. Bunner. — Aquelas crianças, tão levadas. Nunca as esquecerei. Mas Letty não passou por isso; era mais inteligente, foi ser uma mulher de negócios, secretária de um grande homem.

A porta se abriu, e Phillipa Haymes entrou. Era alta e loura, de ar tranquilo. Olhou em volta, com ar surpreso.

— Olá — disse. — É uma festa? Ninguém me contou nada.

— É claro — exclamou Patrick. — A nossa Phillipa não sabe ainda. A única mulher em Chipping Cleghorn que não sabe, aposto.

Phillipa o encarou, curiosa.

— Eis aqui, à sua volta — disse Patrick, dramaticamente, fazendo um largo gesto com a mão —, a cena de um crime!

Phillipa Haymes estava obviamente intrigada.

— Aqui — Patrick indicou os dois vasos de crisântemos — estão as urnas funerárias; estes canapés de queijo e estas azeitonas são para os convidados ao velório.

— É alguma brincadeira? — perguntou Phillipa, dirigindo-se, curiosa, à sra. Blacklock. — Eu sempre sou muito burra para essas coisas.

— É uma brincadeira, e de mau gosto — disse Dora Bunner, com energia. — Eu não gosto nada disso.

— Mostre-lhe o anúncio — disse a sra. Blacklock. — Preciso ir guardar os patos. Já está ficando escuro.

— Deixe que eu faço isso — disse Phillipa.

— Nada disso, minha filha. Você já trabalhou bastante por hoje.

— Eu vou, tia Letty — ofereceu-se Patrick.

— Não, senhor — respondeu ela, energicamente. — Na última vez você se esqueceu de trancar o portão.

— Pois então eu vou, Letty — disse a sra. Bunner. — Eu gosto. É só colocar minhas galochas... e onde é que deixei o meu suéter?

Mas a sra. Blacklock, sorrindo, já saíra da sala.

— Não adianta, Bunny — disse Patrick. — A tia Letty é tão eficiente que não suporta que alguém faça algo por ela. Ela realmente prefere fazer tudo sozinha.

— Ela adora ser assim — disse Julia.

— Não ouvi qualquer oferecimento de ajuda de sua parte — comentou o irmão.

Julia sorriu, preguiçosa.

—Você mesmo disse que ela gosta de fazer as coisas sozinha — lembrou. — Além disso — acrescentou, esticando uma perna bem torneada, vestida em uma meia transparente —, estou com as minhas melhores meias.

— A morte em meias de seda! — declamou Patrick.

— Não é seda, seu idiota. É nylon.

— Mas, assim, o título fica horrível.

— Alguém poderia me dizer — interferiu Phillipa, em tom queixoso — por que estão todos falando de morte?

Todos tentaram dizer-lhe, ao mesmo tempo... enquanto ninguém conseguia achar a *Gazette* para lhe mostrar o anúncio, porque Mitzi a levara para a cozinha.

A sra. Blacklock voltou alguns minutos depois.

— Pronto, tudo resolvido. — Olhou para o relógio. — São 18h20. Alguém deve estar chegando... ou muito me engano sobre os meus vizinhos.

— Mas por que deve vir alguém aqui? — perguntou Phillipa, confusa.

—Você não sabe, minha filha? É, acho que não. Mas acontece que a maioria das pessoas é muito mais curiosa do que você.

— Phillipa não se interessa por nada — disse Julia, com certo sarcasmo.

Phillipa não respondeu. A sra. Blacklock estava olhando em volta da sala. Mitzi colocara o xerez e os pratinhos com azeitonas, canapés e pequenos pastéis na mesinha de centro.

— Por favor, Patrick, leve a bandeja, ou a mesa toda, se preferir, para perto da janela saliente, na outra sala. Afinal de contas, eu não estou dando uma festa! Não convidei ninguém. E não quero que fique óbvio que estou esperando que alguém venha.

—Tia Letty, a senhora está querendo disfarçar sua inteligente dedução?

— Exatamente, meu rapaz. Muito obrigada.

— Então, podemos continuar com a nossa encantadora representação de um pacato serão familiar — disse Julia —, e mostraremos muita surpresa se alguém bater à porta.

A sra. Blacklock apanhara a garrafa de xerez e a segurava, indecisa. Patrick a tranquilizou.

— Ainda tem pelo menos meia garrafa aí. Deve bastar.

— É... acho que sim... — ela hesitou. Depois, corando levemente, disse:

— Patrick, por favor... há outra garrafa no armário da copa... Vá buscá-la e traga um saca-rolhas. Eu... bem, nós... é melhor usar uma garrafa nova. Esta aqui já foi aberta há muito tempo.

Patrick obedeceu, sem uma palavra. Voltou com a garrafa e a abriu. Ao colocá-la na bandeja, olhou com curiosidade para a sra. Blacklock.

— Está levando tudo isso muito a sério, não? — perguntou, suavemente.

— Ora — exclamou, chocada, Dora Bunner. — Francamente, Letty, você não está pensando...

— Psiu — disse a sra. Blacklock. — A campainha. Estão vendo, minha inteligente dedução se confirma.

II

Mitzi abriu a porta da sala, fazendo entrar o coronel e a sra. Easterbrook. Tinha ela seu jeito próprio de anunciar as pessoas. Como se estivesse participando da conversa, disse:

— O coronel e a sra. Easterbrook estão aí para ver a senhora.

O coronel mostrou-se amável e muito expansivo, como se esconcesse um certo encabulamento.

— Saímos para dar uma volta e decidimos fazer uma visitinha — disse ele, enquanto Julia escondia uma risada atrás de um acesso de tosse. — Como vão todos? Uma tarde agradável, não? Estou vendo que já ligaram o seu aquecimento central. Nós ainda não ligamos o nosso.

— Mas que lindos crisântemos! — exclamou a sra. Easterbrook. — Que belezas!

— Já estão meio murchos, para falar a verdade — disse Julia.

A sra. Easterbrook saudou Phillipa Haymes com o excesso de cordialidade necessário para mostrar que ela compreendia muito bem que Phillipa não era, realmente, uma trabalhadora rural.

— Como vai indo o jardim do sr. Lucas? — perguntou ela. — Acha que ainda tem jeito? Foi tão abandonado durante a guerra toda... e, depois, só tinha aquele velhote horrível, o sr. Ashe, que só fazia varrer as folhas e plantar repolhos.

— O tratamento está indo bem — disse Phillipa. — Mas vai demorar um pouco.

Mitzi abriu novamente a porta:

— Chegaram aí as madames de Boulders.

— Boa noite — disse a srta. Hinchcliffe, atravessando a sala em largas passadas e apertando com firmeza a mão da sra. Blacklock. — Eu disse a Murgatroyd: "Vamos dar um pulinho em Little Paddocks!" Queria lhe perguntar como vão os seus patos. Estão chocando?

— A noite está caindo tão depressa ultimamente, não? — disse Miss Murgatroyd a Patrick, com ar distraído. — Mas que lindos crisântemos!

— Murchos! — explodiu Julia.

— Mas por que você não coopera? — murmurou-lhe Patrick, em tom de reprovação.

— Vocês já ligaram o aquecimento central — acusou a srta. Hinchcliffe. — É cedo demais.

— A casa fica muito úmida nesta época do ano — disse a sra. Blacklock.

Com uma acrobacia de sobrancelhas, Patrick perguntou se estava na hora de servir o xerez e, pelo mesmo código, recebeu a resposta da sra. Blacklock: "Ainda não."

— O senhor tem recebido bulbos da Holanda este ano? — ela perguntou ao coronel Easterbrook.

A porta se abriu novamente, e a sra. Swettenham entrou, seguida por Edmund, de cara fechada e nitidamente constrangido.

— Somos nós! — disse a sra. Swettenham, alegremente, olhando em torno com indisfarçada curiosidade. Então, subitamente sentindo-se desconfortável, ela prosseguiu: — Tive a ideia de dar um pulinho aqui para lhe perguntar se não gostaria de ganhar uma gatinha, sra. Blacklock. Nossa gata está para...

— ...para dar à luz um batalhão de rebentos de um gato vira-lata — completou Edmund. — Nem quero pensar no que vai dar. Não diga depois que não foi prevenida!

— Nossa gata é muito boa para caçar ratos — cortou a sra. Swettenham apressadamente, acrescentando: — Mas que lindos crisântemos!

— Vocês ligaram o aquecimento central, não? — perguntou Edmund, com grande originalidade.

— Engraçado como as pessoas se parecem com discos de vitrola... — suspirou Julia.

— Não gosto nada das últimas notícias — disse o coronel Easterbrook a Patrick, segurando-o pela lapela, para que não houvesse a menor chance de fuga. — Não gosto, não, senhor. Para mim, a guerra é inevitável... absolutamente inevitável.

— Eu não sei. Nunca leio os jornais — disse Patrick.

Uma vez mais abriu-se a porta, e a sra. Harmon entrou. Seu velho chapéu de feltro estava empurrado para a nuca, numa vaga tentativa de seguir a moda, e ela trocara o seu suéter costumeiro por uma blusa rendada antiquada.

— Olá, sra. Blacklock — exclamou ela, com um sorriso que lhe ocupava todo o rosto. — Não estou atrasada, estou? Quando começa o homicídio?

III

Diversos "ahs" e "ohs", alguns abafados com êxito, foram ouvidos. Julia deu uma risada satisfeita, enquanto Patrick fazia uma careta e a sra. Blacklock sorria para a visitante.

— Julian está morrendo de raiva por não poder vir — disse a sra. Harmon. — Ele adora homicídios. Foi por isso que ele fez aquele sermão tão bom, domingo passado... mesmo que não fique bem eu dizer que o sermão foi bom, ele sendo o meu marido... mas foi bom mesmo, não acharam? Muito melhor que os de costume. Mas eu ia dizendo que foi tudo por causa de *A morte executa a mágica da cartola*. Vocês não leram? A mocinha da Boots' guardou um exemplar especialmente para mim. A gente fica totalmente confusa, pensa que sabe o que está acontecendo, e, de repente, tudo muda de lugar e aparecem os assassinos, quatro ou cinco de uma vez. Pois eu deixei o livro no escritório antes de o Julian se trancar lá dentro para escrever o sermão, e ele o apanhou e não conseguiu largá-lo até chegar ao fim! E acabou tendo de escrever o sermão correndo (sem citações nem aquelas suas frases complicadas) e, naturalmente, saiu muito melhor que os outros. Ah, meu Deus, já estou falando demais. Mas, digam, quando começa o assassinato?

A sra. Blacklock olhou para o relógio sobre a lareira.

— Se começar mesmo — anunciou, com bom humor — deve ser logo. Falta um minuto para as 18h30. Enquanto esperamos, vamos tomar um xerez.

Patrick se dirigiu para a garrafa com largas e entusiásticas passadas, enquanto a sra. Blacklock se aproximava da mesinha onde estava a caixa de cigarros.

— Eu adoraria um cálice de xerez — disse a sra. Harmon. — Mas que história é essa de "se"?

— Bem — explicou a dona da casa —, eu sei tanto quanto você. Não sei o que...

Calou-se e virou a cabeça na direção da lareira, onde o pequeno relógio começou a dar as horas. Era um som suave, como de um sininho de prata. Todos se mantiveram em silêncio; ninguém se movia. Todos olhavam para o relógio.

Quando se extinguiu o som da última batida da meia hora, todas as luzes se apagaram.

IV

No escuro, gritinhos femininos de expectativa e prazer fizeram-se ouvir.

— Está começando — exclamou, em êxtase, a sra. Harmon.

Em tom queixoso, Dora Bunner protestou:

— Ah, eu detesto isso!

E outras vozes: "Tão assustador, estou com tanto medo!" "Fico toda arrepiada!" "Archie, onde está você?" "E o que eu tenho de fazer agora?" "Oh, desculpe, pisei no seu pé? Desculpe..."

Então, com um estrondo, a porta se abriu. A luz de uma poderosa lanterna passeou pela sala. Uma voz de homem, roufenha e nasal, evocando para todos os presentes uma infinidade de momentos agradáveis passados em frente a uma tela de cinema, ordenou ao grupo:

— Mãos para cima! Mãos para o alto, vamos! — A voz repetiu, enérgica. Prazerosamente, todas as mãos se levantaram acima das cabeças.

— Não é maravilhoso? — suspirou uma voz feminina. — Estou tão emocionada...

E então, inesperadamente, um revólver se fez ouvir. Duas vezes. O som das duas balas quebrou a complacência da sala. Subitamente, a brincadeira não mais era uma brincadeira. Alguém gritou.

A silhueta no portal girou repentinamente nos calcanhares; pareceu hesitar, ouviu-se um terceiro tiro, ela se dobrou sobre si mesma e se estatelou no chão. A lanterna caiu e se apagou.

A escuridão voltou. E, bem devagar, com um rangido vitoriano de protesto, a porta da sala de estar, como costumava fazer quando não estava bem escorada, fechou-se lentamente. Ouviu-se o ruído do trinco.

V

O caos se instalou na sala de estar. Diversas vozes soaram ao mesmo tempo.

"Luzes." "Onde fica o interruptor?" "Alguém tem um isqueiro?" "Ah, eu não gosto nada disso, não gosto nada, nada..." "Mas os tiros foram de verdade!" "Era um revólver de verdade que ele tinha na mão." "Era um ladrão?" "Oh, Archie, eu quero ir embora." "Por favor, alguém tem um isqueiro?"

Quase ao mesmo tempo, dois isqueiros se acenderam, produzindo chamas modestas, mas firmes.

Piscando, todos se entreolharam. Rostos espantados se defrontaram com rostos assustados. Encostada à parede, ao lado do arco, a sra. Blacklock mantinha uma das mãos no rosto. Com a fraca iluminação, mal dava para se perceber que algo escuro escorria entre seus dedos.

O coronel Easterbrook pigarreou e se elevou à altura da situação.

— Tente os interruptores, Swettenham — ordenou.

Edmund, que estava próximo à porta, obedientemente acionou o comutador para cima e para baixo.

— Ou é um fusível ou falta de força — disse o coronel. — Quem está fazendo essa barulheira?

De algum lugar do outro lado da porta fechada, uma voz feminina se ouvia, gritando sem parar. Estava aumentando de volume e passara a ser acompanhada por batidas de punhos na porta.

Dora Bunner, que soluçava num canto, opinou:

— É Mitzi. Estão matando a Mitzi.

— Seria muita sorte... — murmurou Patrick.

— É preciso arranjar velas — disse a sra. Blacklock. — Patrick, por favor...

O coronel já estava abrindo a porta. Edmund e ele, isqueiros em punho, passaram para a saleta de entrada: quase tropeçaram numa figura deitada no caminho.

— Parece que está desmaiado — disse o coronel. — Onde está essa mulher que está berrando desse jeito?

— Na sala de jantar — disse Edmund.

A sala de jantar ficava logo depois da saleta. Alguém estava batendo com as mãos na porta, uivando e gritando.

— Ela está trancada aí dentro — disse Edmund, inclinando-se. Girou a chave, e Mitzi irrompeu como um tigre faminto pulando sobre a presa. A luz da sala de jantar tinha ficado acesa e, silhuetada no portal, a figura de Mitzi, gritando sem parar, era um quadro vivo de terror insano. Um toque cômico era dado pelo fato de que estivera limpando a prataria e ainda tinha nas mãos um trapo de flanela e uma faca de peixe.

— Cale a boca, Mitzi — disse a sra. Blacklock.

— Pare com isso — disse Edmund, e como Mitzi não mostrou a menor intenção de parar de gritar, ele avançou e lhe deu uma bofetada no rosto. Mitzi engoliu em seco e parou de gritar, passando a soluçar em silêncio.

— Arranjem velas — disse a sra. Blacklock. — No armário da cozinha. Patrick, você sabe onde fica a caixa dos fusíveis?

— Na passagem atrás da copa? Certo, vou ver o que posso fazer.

A sra. Blacklock dera alguns passos e entrara na área iluminada pela luz que vinha da sala de jantar; Dora Bunner deu um gritinho, enquanto Mitzi soltava mais um de seus berros.

— Sangue, sangue — ela soluçou. — A senhora ferida... vai morrer, sangrar até morrer...

— Não seja tola — disse, bruscamente, a sra. Blacklock. — Não foi nada, só um arranhão na orelha.

— Mas, tia Letty — disse Julia —, o sangue...

Realmente, a blusa, as pérolas e a mão da sra. Blacklock pareciam estar banhadas em sangue.

— As orelhas sempre sangram muito — disse ela. — Uma vez, quando eu era menina, cheguei a desmaiar no cabeleireiro, e o pobre homem mal me beliscara a orelha. Mas jorrou uma bacia cheia de sangue. É preciso dar um jeito nessas luzes.

— Eu apanho velas — disse Mitzi.

Julia foi com ela e voltaram com diversas velas presas em pires.

— Vamos dar uma olhada no nosso malfeitor — disse o coronel. — Segure essas velas aqui embaixo, por favor, Swettenham. Quantas puder.

— Eu vou pelo outro lado — disse Phillipa.

Com mão firme, ela empunhou um par de pires. O coronel Easterbrook se ajoelhou.

A figura deitada estava envolta num improvisado manto negro com um capuz. O rosto estava oculto por uma máscara preta, e ele usava luvas pretas de algodão. O capuz havia escorregado, descobrindo uma cabeça loura e despenteada.

O coronel Easterbrook virou o corpo, sentiu o pulso e o coração, e retirou os dedos com uma exclamação de repugnância, trazendo-os para perto do rosto. Estavam vermelhos e pegajosos.

— Atirou em si mesmo — disse.

— Está muito ferido? — perguntou a sra. Blacklock.

— Hum... Acho que está morto. Pode ter sido suicídio... ou então tropeçou nessa capa, e o revólver disparou quando ele caiu. Se eu pudesse ver melhor...

Naquele instante, como num passe de mágica, as luzes voltaram.

Uma sensação de distanciamento da realidade invadiu os habitantes de Chipping Cleghorn reunidos naquela saleta de Little Paddocks, no momento em que compreenderam que estavam na presença da morte violenta e inesperada. A mão do coronel Easterbrook estava manchada de vermelho. O sangue ainda escorria pelo pescoço da sra. Blacklock, chegando à sua blusa e ao seu casaco; a seus pés estava aquela figura grotescamente estendida no chão. Vindo da sala de jantar, Patrick disse:

— Parece que era só um fusível...

O coronel Easterbrook deu um puxão na pequena máscara preta.

— É melhor ver quem é o sujeito — disse ele. — Embora eu não creia que seja alguém que conheçamos...

Retirou a máscara. Pescoços se esticaram. Mitzi soluçou, arfou; os demais ficaram em silêncio.

E, de súbito, Dora Bunner exclamou, excitada:

— Letty, Letty, é aquele rapaz do hotel, em Medenham Wells. O que veio aqui e queria que você lhe desse dinheiro para voltar para a Suíça, e você recusou. Devia ser tudo um pretexto... para espionar a casa... Ah, meu Deus, ele podia ter matado você...

Assumindo o comando da situação, a sra. Blacklock disse, com decisão:

— Phillipa, leve Bunny para a sala de jantar e lhe dê meio copo de conhaque. Julia, minha filha, dê um pulo no banheiro e apanhe no armariozinho gaze e esparadrapo... Não tem propósito eu ficar sangrando feito um porco. Patrick, quer telefonar para a polícia, por favor?

Capítulo 4
O hotel Royal Spa

I

George Rydesdale, chefe de polícia de Middleshire, era um homem tranquilo. De altura média, escondia seus olhos inteligentes sob espessas sobrancelhas; tinha o hábito de falar pouco e ouvir muito, antes de expedir, em voz neutra, uma ordem concisa, que era sempre obedecida.

No momento, ele ouvia o inspetor-detetive Dermot Craddock. Craddock estava oficialmente encarregado do caso. Rydesdale o chamara na noite anterior de Liverpool, onde fora fazer algumas investigações relacionadas a outro caso. O chefe tinha uma boa opinião de Craddock; não apenas possuía bons miolos e imaginação como também — e disso Rydesdale gostava ainda mais — a autodisciplina necessária para andar devagar, conferir e examinar cada fato, e não tirar conclusões antes de chegar ao fim de cada problema.

— O guarda Legg recebeu a chamada, senhor — Craddock estava dizendo. — Parece que ele agiu muito bem, com rapidez e presença de espírito. E não deve ter sido fácil. Umas 12 pessoas, todas querendo falar ao mesmo tempo, inclusive uma daquelas mulheres centro-europeias que entram em crise só de ver um policial fardado. Convenceu-se de que ia ser presa e quase derrubou as paredes de tanto gritar.

— O morto foi identificado?

— Sim, senhor. Rudi Scherz. Nacionalidade suíça. Empregado no hotel Royal Spa, em Medenham Wells, como recepcionista. Se concordar, senhor, acho melhor começar com o Royal Spa e ir a Chipping Cleghorn depois. O sargento Fletcher já está lá.

Rydesdale fez um gesto de aprovação. A porta se abriu, e o chefe de polícia ergueu a cabeça.

— Entre, Henry — disse ele. — Temos aqui algo um pouco fora do comum.

Sir Henry Clithering, ex-comissário da Scotland Yard, entrou, mostrando no rosto o interesse despertado. Era um homem idoso, alto e de aparência distinta.

— Agrada até ao seu paladar requintado — continuou Rydesdale.

— Eu nunca fui requintado — replicou, indignado, Sir Henry.

— É a última novidade — explicou Rydesdale. — Agora estão anunciando os homicídios com antecedência. Mostre aquele anúncio a Sir Henry, Craddock.

— *The North Benham News and Chipping Cleghorn Gazette* — disse Sir Henry. — Um nome e tanto. — Ele leu o pedacinho indicado pelo dedo de Craddock. — Hum, é mesmo. Bastante fora do comum.

— Alguma pista sobre quem colocou o anúncio? — perguntou Rydesdale.

— Pela descrição, senhor, foi colocado pelo próprio Rudi Scherz, na quarta-feira.

— Ninguém lhe perguntou nada? A pessoa que recebeu o anúncio não o achou esquisito?

— Tenho a impressão de que a lourinha que recebe anúncios lá é inteiramente incapaz de achar ou deixar de achar qualquer coisa, senhor. Ela apenas contou as palavras e recebeu o dinheiro.

— Qual foi a razão? — perguntou Sir Henry.

— Juntar um bando de curiosos no lugar — sugeriu Rydesdale. — Reuni-los num local determinado numa certa hora, para assaltá-los e roubar seus bens e seu dinheiro. Como ideia, não deixa de ter originalidade.

— Que espécie de lugar é Chipping Cleghorn? — perguntou Sir Henry.

— Uma vila pitoresca, bem espalhada. Açougue, padaria, quitanda, uma boa loja de antiguidades... e duas casas de chá. A cidade é orgulhosa de suas belezas naturais e procura atrair turistas motorizados. É muito residencial, também. Bangalôs onde antigamente moravam camponeses, hoje reformados e habitados por velhas solteironas e casais aposentados. Na era vitoriana, houve um modesto surto imobiliário.

— Eu sei — disse Sir Henry. —Velhinhas simpáticas e coronéis reformados. Não há dúvida: todos os que leram este anúncio correram para lá às 6h30 da tarde, para saber o que estaria acontecendo. Ora, até que eu gostaria de ter aqui a minha velhinha simpática preferida. Ela adoraria meter os dentes nesse belo osso. É exatamente do que ela gosta.

— Quem é a sua velhinha preferida, Henry? Alguma tia?

— Não — ele suspirou. — Nenhum parentesco. Apenas — ele acrescentou, com a voz cheia de respeito — é a melhor detetive que já pisou neste mundo. Um talento nato, cultivado em solo fértil.

Voltou-se para Craddock:

— Não despreze as velhinhas inteligentes que encontrar nesse vilarejo, meu filho. Caso tudo isso se transforme num mistério de grande profundidade, o que não creio que aconteça, lembre-se de que conheço uma velhota que passa o tempo cuidando de rosas e costurando... e que pode passar a perna em qualquer sargento-detetive. Ela pode lhe dizer o que deve ter acontecido, o que deveria ter acontecido e, até, o que realmente aconteceu! E também por que aconteceu!

— Não me esquecerei, senhor — disse o inspetor-detetive Craddock, em tom formal; ninguém suspeitaria de que Dermot Eric Craddock era afilhado de Sir Henry e tinha a maior intimidade com o padrinho.

Rydesdale contou o caso ao amigo, em linhas gerais.

— Garanto que estavam todos lá às 18h30 — disse ele. — Mas como aquele sujeito suíço saberia ao certo que estariam? E, outra coisa, será que eles teriam consigo dinheiro e valores que compensassem o golpe?

— Uns dois broches antigos, talvez um colar de pérolas cultivadas, algum dinheiro trocado... talvez uma ou duas libras, não mais — disse, pensativo, Sir Henry. — E essa sra. Blacklock guarda muito dinheiro em casa?

— Ela diz que não, senhor. Pouco mais de cinco libras, eu soube.

— Uma ninharia — disse Rydesdale.

— Vamos acabar acreditando que o sujeito tinha mania de teatro — comentou Sir Henry. — Não era o lucro, mas a emoção de representar a cena do assalto. Influência do cinema, quem sabe? É bem possível. Como é que ele conseguiu se ferir?

Rydesdale apanhou na mesa uma folha de papel.

— É o relatório médico preliminar. O revólver disparou à queima-roupa... chamuscou a carne... hum... nada que determine se foi acidente ou suicídio. Pode ter sido deliberado, ou ele pode ter tropeçado, caído, e o revólver, que ele segurava colado ao corpo, pode ter disparado... Talvez tenha sido isso.

Olhou para Craddock.

—Você terá de interrogar as testemunhas com muito cuidado e fazê-las dizer exatamente o que viram.

—Todas devem ter visto alguma coisa diferente — comentou, desalentado, o inspetor-detetive.

— Sempre me interessei — disse Sir Henry — em saber o que as pessoas veem em momentos de grande excitação e tensão psíquica. O que veem e, o que é ainda mais interessante, o que não veem.

— Onde está o relatório sobre o revólver?

—Marca estrangeira... muito comum no continente; Scherz não tinha licença para ele... e não o declarou quando chegou à Inglaterra.

— Um mau sujeito — disse Sir Henry.

— Deficiências de caráter por todos os lados. Muito bem, Craddock, vá ver o que consegue descobrir sobre ele no Royal Spa.

II

No Royal Spa, o inspetor Craddock foi levado diretamente ao gabinete do gerente.

O gerente, sr. Rowlandson, um homenzarrão exuberante, de maneiras expansivas, saudou o policial com um largo sorriso.

— Teremos o maior prazer em ajudá-lo no que pudermos, inspetor. De fato, é um caso extraordinário. Nunca pensei... nunca. Scherz parecia ser um rapaz igual aos outros, simpático... não consigo imaginá-lo como um assaltante.

— Há quanto tempo trabalhava aqui, sr. Rowlandson?

— Eu estava checando isso pouco antes de o senhor chegar. Uns três meses. Credenciais muito boas, documentos em ordem etc...

— E seu trabalho era satisfatório?

Sem dar a perceber, Craddock registrou a pausa infinitesimal antes da resposta de Rowlandson.

— Bastante satisfatório.

Craddock empregou uma técnica que frequentemente dava bons resultados.

— Ora, ora, sr. Rowlandson — disse, sacudindo a cabeça devagar. — Não é bem assim, não é mesmo?

— Bem... — O gerente parecia um tanto abalado.

— Vamos, havia alguma coisa de errado. O que era?

— Pois é... eu não sei.

— Mas sempre achou que houvesse alguma coisa errada, não?

— Bem... é... achei... Mas não tenho nada de concreto. Não gostaria de ver meus palpites anotados e depois jogados na minha cara.

Craddock sorriu, afável.

— Entendo perfeitamente. Não se preocupe. Mas tenho de descobrir alguma coisa sobre o tipo desse Scherz. O senhor suspeitava... de quê?

Relutante, Rowlandson falou.

— Houve problemas, uma ou duas vezes, com contas de hóspedes. Certas coisas cobradas em excesso.

— O senhor quer dizer que suspeitava de que ele cobrasse certos itens que não existiam e embolsasse a diferença quando a conta fosse paga?

— Algo parecido... Na melhor das hipóteses, ele era muito negligente. Mais de uma vez as quantias eram altas. Para falar a verdade, mandei que o nosso contador examinasse os seus livros, por suspeitar de que ele... bem, de que ele não prestasse. Havia diversos erros e muita falta de método, mas as contas davam certo. Por isso, achei que estava enganado.

— Mas e se não estivesse? Se Scherz estivesse embolsando pequenas quantias aqui e ali, ele poderia se cobrir repondo o dinheiro, não?

— Sim, se ele tivesse o dinheiro. Mas quem se apropria de "pequenas quantias", como o senhor diz... geralmente precisa com urgência dessas quantias e as gasta na hora.

— Então, se ele precisasse de dinheiro para repor quantias desaparecidas, teria de consegui-lo de outra maneira... roubando, por exemplo?

— Isso. Imagino se teria sido a primeira vez...

— Talvez. Pelo menos, tinha toda a marca de coisa de amador. Existe alguma outra pessoa que lhe poderia ter dado o dinheiro? Alguma mulher em sua vida?

— Uma das garçonetes no restaurante. Chama-se Myrna Harris.

— Preciso falar com ela.

III

Myrna Harris era uma jovem bonita, com uma bela cabeleira ruiva e um narizinho arrebitado.

Estava assustada e preocupada, profundamente consciente da vergonha de ser interrogada pela polícia.

— Não sei de nada, senhor. Nada mesmo — protestou ela. — Se soubesse que ele era assim, nunca teria saído com o Rudi.

Mas ele trabalhava na recepção, eu então pensei que fosse um rapaz direito. Como eu ia saber? Acho que o hotel devia tomar mais cuidado com as pessoas que vêm trabalhar aqui... estrangeiros, principalmente. Com um estrangeiro, a gente nunca sabe a quantas anda. Ele era de alguma dessas quadrilhas que os jornais falam?

— Nós achamos — disse Craddock — que ele agia sozinho.

— Imagine... e ele tão quieto, com um ar tão direito... nunca pensei. A verdade é que sumiram umas coisas minhas... um broche de brilhantes... e um anelzinho de ouro. Que eu me lembre... Mas nunca sonhei que pudesse ser o Rudi...

— Claro que não — disse Craddock. — E pode ter sido outra pessoa. Você o conhecia bem?

— Eu não diria "bem".

— Mas eram amigos?

— Ah, isso sim... éramos amigos, só isso. Nada de sério. Eu fico sempre de pé atrás com estrangeiros, o senhor sabe. Geralmente são muito simpáticos, mas nunca se sabe, não é mesmo? Aqueles poloneses, durante a guerra! E mesmo os americanos! Nunca dizem que são casados, até a última hora. Rudi contava muita vantagem, mas eu sempre ouvia tudo com o pé atrás.

Craddock sentiu que uma nova porta se abria e enveredou por ela:

— Contava vantagem, hein? Mas isso é muito interessante. Estou vendo que você nos será muito útil. Que vantagens eram essas que ele contava?

— Ah, dizia que sua família na Suíça era muito rica... rica e importante. Mas isso não combinava com o fato de que ele vivia sem dinheiro. Ele dizia que não podia mandar vir dinheiro da Suíça por causa das leis de câmbio. Pode ser verdade, eu não sei... mas nem as coisas dele eram caras. As roupas, por exemplo. Não eram chiques, sabe? Eu também acho que uma porção das histórias que ele contava eram inventadas. Que subia nos Alpes, que salvava a vida de pessoas dependuradas no abismo... Ora, ele ficava tonto só de passar naquela trilha do desfiladeiro de Boulter... Imagine os Alpes!

— Você saiu muito com ele?

— Saí... isto é... saí, sim. Ele era muito educado e sabia como... ora... como tratar as mulheres. Sempre os melhores lugares no cinema, e até flores ele me dava, às vezes. E dançava muito bem... muito bem mesmo.

— Alguma vez ele lhe falou de uma tal sra. Blacklock?

— Ela às vezes vem almoçar aqui, não é? E já passou uns dias no hotel. Não, acho que nunca falou nela. Não sabia que ele a conhecia.

— E Chipping Cleghorn, ele mencionou?

Craddock pensou ter visto uma expressão de alerta nos olhos de Myrna Harris, mas não chegou a ter certeza.

— Não sei bem... lembro que uma vez ele perguntou alguma coisa sobre horários de ônibus... mas não lembro se era para Chipping Cleghorn ou para outro lugar. Não foi recentemente.

E nada mais conseguiu tirar dela. Não notara nada de diferente em Rudi Scherz. Não o vira na véspera. Nunca soubera — nunca tivera o menor indício, ela frisara — de que Rudi Scherz era ladrão.

"E, provavelmente", pensou Craddock, "essa era a mais pura verdade".

Capítulo 5
Sra. Blacklock, sra. Bunner

I

Little Paddocks era bem parecida com a ideia que dela fazia o inspetor-detetive Craddock. Viu patos e galinhas; e um jardim que já conhecera dias melhores — nos canteiros, apenas se destacavam as pétalas púrpuras de algumas ásteres-italianas fora de época. O gramado e os caminhos mostravam sinais de poucos cuidados.

Resumindo o quadro, o policial pensou: "Na certa, insuficiência de fundos para gastar com jardineiros; mas gostam de flores. A casa precisa de pintura. Quase todas as casas de hoje precisam. Um lugarzinho agradável."

Quando o seu carro parou na porta da frente, o sargento Fletcher se aproximou, vindo do lado da casa. Lembrava, com sua postura militar, um soldado da Guarda, e era capaz de dar cinco inflexões diferentes a uma mesma palavra.

— Senhor.

— Ah, você está aí, Fletcher.

— Senhor — disse o sargento.

— Novidades?

— Já terminamos com a casa, senhor. Parece que Scherz não deixou impressões digitais em parte alguma. Usava luvas, naturalmente. Não há sinais de arrombamento nas portas e janelas. Parece que ele veio de Medenham de ônibus, chegando aqui às seis horas.

A porta lateral da casa estava trancada às 17h30, segundo me disseram. Parece que ele entrou pela porta da frente. A sra. Blacklock afirma que essa porta só é trancada quando fecham a casa, à noite. A empregada, por outro lado, diz que a porta passou toda a tarde trancada... mas ela é capaz de dizer qualquer coisa. O senhor vai ver, muito temperamental. Refugiada da Europa Central.

— Difícil de lidar, é?

— Senhor! — replicou, com intensidade, o sargento Fletcher.

Craddock sorriu.

Fletcher prosseguiu no relatório:

— O sistema elétrico está em ordem. Ainda não descobrimos como ele apagou as luzes. Apenas um circuito foi desligado: sala de estar e saleta de entrada. A instalação e a fiação são antiquadas. Mas não percebo como ele pode ter mexido na caixa de luz, que fica perto da copa. Teria de atravessar a cozinha, e a empregada o teria visto.

— A não ser que fosse sua cúmplice?

— É bem possível. Ambos são estrangeiros... e eu não confio nela, nem um pouco.

Craddock notou dois grandes e assustados olhos negros espreitando por uma janela ao lado da porta da frente. Pouco se via do rosto, amassado contra a vidraça.

— É aquela ali?

— Ela mesma, senhor.

O rosto desapareceu.

Craddock tocou a campainha.

Após longa espera, a porta foi aberta por uma jovem bonita, de cabelos castanhos e ar esnobe.

— Inspetor-detetive Craddock — disse o policial.

A moça o encarou friamente, com seus belos olhos cor de avelã:

— Entre. A sra. Blacklock está esperando.

A saleta de entrada, segundo Craddock observou, era longa e estreita, e com um número enorme de portas.

A jovem abriu uma porta à esquerda e disse:

— Inspetor Craddock, tia Letty. Mitzi não quer abrir a porta. Trancou-se na cozinha e está gemendo e soluçando sem parar. Acho que ninguém vai almoçar hoje nesta casa.

— Ela não gosta da polícia — acrescentou, olhando para Craddock, antes de sair, fechando a porta atrás de si. Craddock adiantou-se para cumprimentar a proprietária de Little Paddocks.

À sua frente estava uma mulher alta, de uns sessenta anos, ainda atraente. Seus cabelos grisalhos eram naturalmente ondulados e formavam uma moldura elegante para `um rosto inteligente e decidido. Tinha olhos cinzentos, muito vivos, um queixo reto, resoluto. Estava com uma atadura na orelha esquerda. Não usava maquiagem e vestia-se com simplicidade: uma saia, um casaco de *tweed* e um suéter. No pescoço, um ornamento que não combinava muito com o resto de sua aparência: um colar antigo, um toque vitoriano que indicava um traço de sentimentalismo um tanto inesperado.

Ao seu lado, bem perto, estava uma mulher da mesma idade. Sua cabeleira revolta mal era contida por uma rede; seu rosto redondo não escondia seu nervosismo. Craddock não teve dificuldade em reconhecer "Dora Bunner — amiga", como descreviam as anotações do guarda Legg, acompanhadas de um comentário pessoal: "Biruta!"

A voz da sra. Blacklock era educada, agradável:

— Bom dia, inspetor Craddock. Esta é a sra. Bunner, minha amiga, que me ajuda a tomar conta da casa. Não quer se sentar? Fuma, por acaso?

— Não quando estou de serviço, minha senhora.

— Ah, mas que pena!

Com olhos habituados a isso, Craddock examinou a sala de um relance. Uma típica sala de estar vitoriana. Duas janelas compridas no lado em que se encontrava, uma janela saliente ao fundo... cadeiras, sofá... mesa de centro com um grande jarro de crisântemos... outro jarro no peitoril da janela — tudo fresco, agradável, embora sem grande originalidade. A única nota esquisita era um pequeno vaso de prata cheio de violetas murchas, numa mesinha ao lado do arco que separava as duas partes da sala. Como não lhe podia passar pela cabeça que a sra. Blacklock tolerasse a permanência de flores mortas dentro de casa, presumiu que fosse a única indicação de que alguma coisa fora do comum acontecera para perturbar a rotina de uma casa bem administrada.

— Creio, sra. Blacklock, que esta seja a sala em que... em que o incidente ocorreu.

— Foi aqui.

— O senhor devia ter visto ontem à noite — exclamou a sra. Bunner. — Uma confusão e tanto! Mesinhas derrubadas, uma com a perna quebrada... as pessoas tropeçando umas nas outras no escuro... alguém esqueceu um cigarro aceso em cima de um móvel. As pessoas (os mais moços, principalmente) são tão descuidados com essas coisas... A sorte é que nenhum dos bibelôs de porcelana se quebrou...

Gentilmente, mas também com firmeza, a sra. Blacklock a interrompeu:

— Tudo isso, Dora, por mais desagradável que tenha sido, não tem muita importância. Será melhor se nós apenas respondermos às perguntas do inspetor Craddock.

— Obrigado, minha senhora. Daqui a pouco falaremos do que aconteceu ontem à noite. Primeiro, quero que me conte quando viu pela primeira vez o morto... Rudi Scherz.

— Rudi Scherz? — A sra. Blacklock pareceu surpreender-se. — Era esse o nome dele? Pensei... Bom, não importa. Eu o conheci num dia em que fui a Medenham para fazer algumas compras... deixe-me ver, há umas três semanas. Nós, a sra. Bunner e eu, fomos almoçar no hotel Royal Spa. Quando estávamos saindo, chamaram o meu nome. Eu me voltei, e era esse rapaz. "Não é a sra. Blacklock?", ele perguntou. E disse que talvez eu não me lembrasse, mas era o filho do dono do Hotel des Alpes, em Montreux, onde minha irmã e eu ficamos, por quase um ano, durante a guerra.

— Hotel des Alpes, Montreux — anotou Craddock. — E a senhora se lembrava dele, sra. Blacklock?

— Não. Não tinha a menor recordação de já tê-lo visto. Esses rapazes de hotéis são todos iguais uns aos outros. Mas nós passamos uma temporada muito agradável em Montreux, e o proprietário tinha sido muito gentil, por isso tentei ser gentil e disse que esperava que ele estivesse gostando da Inglaterra; ele disse que sim, que o pai o mandara passar seis meses aqui, para aprender sobre administração de hotéis. Tudo parecia muito natural.

— E depois disso?

— Foi... é, deve ter sido há uns dez dias. Ele apareceu aqui inesperadamente. Eu fiquei muito surpresa. Ele pediu desculpas pelo incômodo, mas disse que eu era a única pessoa que ele conhecia na Inglaterra. Disse que precisava de dinheiro com a maior urgência, para voltar para a Suíça, porque a mãe estava passando muito mal.

— Mas Letty não lhe deu a menor atenção — aparteou a sra. Bunner.

— Era uma história muito esquisita — continuou a sra. Blacklock. — Achei que ele não era boa coisa. Aquele negócio de precisar do dinheiro para voltar à Suíça era idiotice. O pai poderia facilmente providenciar tudo telegrafando para cá. Esse pessoal de hotel é muito unido. Suspeitei de que ele tivesse furtado dinheiro ou coisa parecida.

Ela fez uma pausa e continuou, secamente:

— Não pense que sou dura de coração. Fui secretária de um grande financista durante muitos anos e me habituei a pedidos de dinheiro. Conheço praticamente todas as histórias. A única coisa que me surpreendeu — acrescentou, pensativa — foi ele ter desistido com tanta facilidade. Foi logo embora, sem dizer mais nada. Como se não tivesse a menor esperança de conseguir o dinheiro.

— A senhora acredita, agora, que tudo não passou de um pretexto para conhecer a casa?

A sra. Blacklock concordou, sem pestanejar.

— É exatamente o que penso... agora. Quando estava saindo, ele fez alguns comentários sobre as salas. Disse: "a senhora tem uma sala de jantar muito bonita", o que não é verdade; ela é estreita, escura; só como pretexto para entrar e dar uma olhada. E depois pulou na minha frente para abrir a porta. Acho que era para examinar o trinco. Na verdade, nós nunca trancamos a porta da frente antes do anoitecer. Quase todo mundo faz assim por aqui. Qualquer pessoa poderia ter entrado.

— E a porta lateral? Há uma porta que dá para o jardim, não?

— Há. Eu passei por ela quando fui guardar os patos, pouco antes de as pessoas começarem a chegar.

— Estava trancada quando a senhora saiu?

A sra. Blacklock franziu a testa.

— Não me lembro... acho que sim. Pelo menos, eu a tranquei quando voltei.

— Isso foi por volta das 18h15?

— Mais ou menos.

— E a porta da frente?

— Não costuma ser trancada até bem mais tarde.

— Então, Scherz poderia ter entrado facilmente por ela. Ou poderia ter se esgueirado para dentro enquanto a senhora estava ocupada com os patos. Ele já conhecia o interior da casa e provavelmente tomara nota de diversos esconderijos possíveis... armários etc. É... Tudo parece muito claro.

— Desculpe, mas não concordo — disse a sra. Blacklock. — Por que razão uma pessoa teria todo esse trabalho para assaltar esta casa, ainda mais com aquela história ridícula de "mãos ao alto"?

— A senhora guarda muito dinheiro em casa, sra. Blacklock?

— Umas cinco libras naquela escrivaninha ali e, talvez, uma ou duas em minha bolsa.

— Joias?

— Um par de brincos e broches, e este colar que estou usando. O senhor tem de concordar, inspetor, que a história toda é absurda.

— Não foi assalto nenhum — exclamou a sra. Bunner. — Eu já lhe disse, Letty, mais de uma vez. Foi vingança! Porque você não lhe quis dar o dinheiro! Ele atirou em você duas vezes... de propósito.

— Ah — disse Craddock. — Chegamos então à noite de ontem. O que aconteceu exatamente, sra. Blacklock? Conte-me, com suas palavras, tudo de que se lembra.

A sra. Blacklock refletiu por um momento.

— O relógio bateu as horas. Aquele, na lareira. Lembro-me de ter dito que, se alguma coisa ia acontecer, não ia demorar. Então, o relógio deu as horas. Ficamos todos prestando atenção, sem dizer nada. É um carrilhão. Não tinha acabado de soar a meia hora quando as luzes se apagaram.

— Que luzes estavam acesas?

— Os apliques, aqui e no outro lado da sala. A luminária de pedestal e os dois abajures não estavam ligados.

— Houve alguma explosão ou ruído, imediatamente antes de as luzes se apagarem?

— Creio que não.

— Tenho certeza de que houve um clarão — disse Dora Bunner. — E um estampido.

— E depois, sra. Blacklock?

— A porta se abriu...

— Qual delas? Há duas aqui.

— Oh, esta aqui. Aquela não abre; é falsa. A porta se abriu, e ele apareceu... um homem mascarado, com um revólver. Parecia fantástico demais, mas é claro que, na hora, pensei que fosse apenas uma brincadeira idiota. Ele disse alguma coisa... não me lembro bem...

— Mãos ao alto ou atiro! — contribuiu a sra. Bunner, dramaticamente.

— Algo parecido — concordou a sra. Blacklock, sem muita certeza.

— E todos levantaram as mãos?

— Mas claro — disse a sra. Bunner. — Todos nós. Fazia parte da brincadeira, entende?

— Eu não — disse a sra. Blacklock, rispidamente. — Achei que era uma bobagem. E tudo aquilo me aborrecia bastante.

— E então?

— A lanterna estava bem nos meus olhos. Fiquei meio tonta. De repente, por incrível que pareça, ouvi uma bala passar zunindo pela minha cabeça e se cravar na parede atrás de mim. Alguém gritou, e senti uma dor, como uma queimadura, na orelha, depois ouvi o segundo tiro.

— Foi apavorante — esclareceu a sra. Bunner.

— E o que aconteceu depois, sra. Blacklock?

— É difícil dizer... eu estava tão abalada pela dor e pela surpresa. A... A pessoa se voltou para o outro lado e pareceu tropeçar; houve outro tiro, e a sua lanterna se apagou. Todo mundo começou a gritar e a correr de um lado para o outro, uns tropeçando nos outros.

— Onde a senhora estava?

— Estava perto da mesa. Estava com aquele vaso de violetas na mão — disse a sra. Bunner, sem se conter.

— Eu estava aqui. — A sra. Blacklock se dirigiu para a mesinha perto do arco. — E, para ser exata, era a caixa de cigarros que estava em minha mão.

O inspetor Craddock examinou a parede atrás dela. Os dois buracos de bala eram bem visíveis, mas os projéteis já haviam sido extraídos e levados embora, para serem comparados com o revólver.

— A senhora escapou por pouco — disse ele, calmamente.

— Ele atirou nela mesmo — disse a sra. Bunner. — Foi de propósito. Eu vi. Ele jogou o foco da lanterna em todo mundo, um por um, até encontrá-la, e aí não mudou mais de posição e então atirou nela, de verdade; ele queria matar você, Letty.

— Dora, meu bem, não sei por que você meteu isso na cabeça.

— Ele atirou em você — insistiu Dora, teimosamente. — Ele queria acertar em você e, quando errou, matou-se. Tenho certeza absoluta de que foi assim que aconteceu!

— Nunca passou pela minha cabeça que ele acabaria se matando — disse a sra. Blacklock. — O seu tipo não era o de quem faz uma coisa dessas.

— A senhora achava, pelo menos até serem disparados os tiros, que tudo não passava de uma brincadeira?

— É claro. O que mais poderia pensar?

— E quem poderia ser o autor da brincadeira?

— No começo, você pensou que fosse Patrick — lembrou-se Dora Bunner.

— Patrick? — perguntou o policial, repentinamente.

— Um rapaz, meu primo, Patrick Simmons — disse a sra. Blacklock, nitidamente aborrecida com a amiga. — Realmente, quando vi o anúncio, pensei que fosse uma brincadeira dele, mas Patrick negou de pés juntos.

— Foi então que você ficou preocupada, Letty — continuou a sra. Bunner. — Você fingia que não estava, mas estava. Era um convite para um homicídio... e era o seu homicídio! E, se o homem não tivesse errado, você estaria morta. E o que ia ser de nós todos?

Dora Bunner estremeceu ao dizer essas palavras. A expressão de seu rosto demonstrava claramente que estava na iminência de cair no choro.

A sra. Blacklock lhe bateu no ombro.

— Está tudo bem, Dora... não se emocione à toa. Não lhe faz bem algum. Está tudo bem. Tivemos uma experiência muito desagradável, mas já acabou tudo. — Você precisa se controlar — acrescentou — por mim, Dora. Eu dependo de você para tomar conta da casa, você sabe muito bem disso. Não é hoje que chega a roupa que foi para lavar?

— Ah, meu Deus, que sorte você ter lembrado, Letty! Preciso verificar se eles devolveram aquela fronha que estava faltando. Vou tomar nota para não esquecer. Vou tratar disso agora mesmo.

— E leve essas violetas embora — disse a sra. Blacklock. — Não há nada que eu deteste mais do que flores mortas.

— Que pena. Eu as colhi ontem, estavam tão frescas. Não duraram nada... Ah, meu Deus, devo ter esquecido de pôr água no vaso. Imagine! Estou sempre me esquecendo das coisas. Agora vou ver se a roupa limpa já chegou. Já está na hora.

Saiu, reconfortada e tranquila.

— Ela não é uma pessoa muito forte — explicou a sra. Blacklock — e não pode se perturbar assim. Algo mais que o senhor deseja saber, inspetor?

—Apenas quantas pessoas vivem aqui e algumas informações sobre elas.

— Pois não. Além de Dora Bunner e eu, tenho dois jovens primos morando comigo agora. Patrick e Julia Simmons.

— Primos? Não são sobrinhos?

— Não. Chamam-me de tia Letty, mas na verdade são primos afastados. A mãe deles é minha prima em segundo grau.

— Sempre moraram com a senhora?

— Ah, não, só nos últimos dois meses. Moravam no sul da França antes da guerra. Patrick entrou para a Marinha, e Julia, penso eu, foi trabalhar num ministério; ficou em Llandudno. Quando acabou a guerra, a mãe me escreveu, perguntando se não poderia aceitá-los como hóspedes... Julia está aprendendo enfermagem no hospital geral de Milchester, e Patrick está estudando engenharia na universidade de lá. Milchester, o senhor sabe, fica a apenas cinquenta minutos de ônibus, e tive o maior prazer em alojá-los. Pagam uma pequena quantia por cama e comida, e não há problema algum.

Com um sorriso, ela acrescentou:

— Gosto de ter gente jovem por perto.

— Há também uma sra. Haymes, não?

— Há. Ela trabalha no Dayas Hall, para a sra. Lucas, como assistente do jardineiro. O chalé de lá está sendo ocupado pelo velho jardineiro e sua mulher, e a sra. Lucas me pediu que a alojasse. É uma moça simpática. O marido foi morto na Itália, e ela tem um filho de oito anos num colégio interno; ele virá para cá nas férias.

— E empregados domésticos?

— Um jardineiro vem às terças e sextas. A sra. Huggins vem da cidade cinco dias por semana e fica toda a manhã. E ainda tenho uma refugiada estrangeira (nem sei pronunciar o nome dela direito) que ajuda na cozinha. O senhor vai ter problemas com Mitzi, acho eu. Sofre de mania de perseguição ou coisa parecida.

Craddock concordou, com um gesto de cabeça. Lembrava-se de mais um dos valiosos comentários do guarda Legg. Além de anotar "Biruta" ao lado do nome de Dora Bunner e "Confiável" junto ao de Letitia Blacklock, ele ornamentara a ficha de Mitzi com a palavra "Mentirosa".

Como se tivesse lido os seus pensamentos, a sra. Blacklock disse:

— Mas, por favor, não julgue mal a pobre coitada só porque ela é mentirosa. Eu realmente acredito que exista uma base de verdade por trás das suas mentiras; é assim com a maioria dos mentirosos crônicos. Quero dizer... por exemplo, as suas histórias sobre atrocidades aumentam toda vez que ela as conta; praticamente tudo o que já se publicou a esse respeito aconteceu com ela ou com algum parente próximo; no entanto, tenho certeza de que ela realmente sofreu um choque violento e viu, pelo menos, um parente seu ser morto. Acho que muitos refugiados sentem, talvez com razão, que atrairão mais atenção e simpatia na medida em que mais tenham passado por atrocidades, e por isso exageram e inventam. Para falar a verdade — acrescentou —, Mitzi é uma pessoa irritante. Ela nos deixa malucos; é mal-humorada e desconfiada, está sempre tendo "pressentimentos" e se sentindo ofendida. Mas, apesar de tudo, tenho pena dela. Também, quando ela quer, sabe cozinhar muito bem — concluiu, com um sorriso.

— Vou tentar não mexer com ela mais do que o estritamente necessário — disse Craddock, para tranquilizá-la. — Foi a srta. Julia Simmons quem abriu a porta para mim?

— Foi. Gostaria de falar com ela agora? Patrick saiu. Phillipa Haymes está trabalhando, no Dayas Hall.

— Obrigado, sra. Blacklock. Quero mesmo falar com a srta. Simmons, se for possível.

Capítulo 6
Julia, Mitzi, Patrick

I

Sem saber exatamente a razão, Craddock irritou-se com o ar de dignidade ostentado por Julia, quando esta entrou e ocupou a cadeira da qual Letitia Blacklock há pouco se levantara. Fixando nele um olhar imperturbável, ela esperou por suas perguntas.

A sra. Blacklock saíra para deixá-lo à vontade.

— Gostaria de que me falasse sobre o que houve ontem à noite, srta. Simmons.

— Ontem à noite? — murmurou ela, com frieza. — Ah, nós todos dormimos como pedras. Reação normal, eu acho.

— Eu falo de ontem à noite a partir das seis horas.

— Ah, sei. Bem, apareceu uma porção de chatos...

— Quem eram?

Ela novamente o olhou com frieza.

— O senhor ainda não sabe?

— Quem faz as perguntas sou eu, srta. Simmons — disse ele, com um sorriso.

— Desculpe. É que acho tão chato repetir as coisas... Pelo visto, o senhor pensa diferente... Bem, vieram o coronel e a sra. Easterbrook, as senhoritas Hinchcliffe e Murgatroyd, a sra. Swettenham com Edmund Swettenham, e a sra. Harmon, mulher do vigário. Chegaram nessa mesma ordem. E, se quer saber o que disseram, foram exatamente as mesmas coisas, uns depois dos outros. "Estou vendo que vocês já ligaram o aquecimento central" e "Que lindos crisântemos!".

Craddock teve que morder os lábios; a imitação era perfeita.

— A única exceção foi a sra. Harmon. Ela é um amor. Foi entrando, com o chapéu quase caindo da cabeça e os sapatos desamarrados, e logo perguntando quando ia começar o homicídio. Todo mundo ficou encabulado, porque todos estavam fingindo terem aparecido aqui por acaso. A tia Letty, com aquele jeitão seco que ela tem, disse que ia começar a qualquer momento. E então o relógio começou a dar as horas e, quando acabou, as luzes se apagaram, a porta se abriu e apareceu uma figura mascarada, que disse: "Mãos ao alto, pessoal", ou coisa parecida. Exatamente como num filme de terceira categoria. Realmente ridículo. E então ele disparou dois tiros na tia Letty e, de repente, o negócio não era mais ridículo.

— Onde estavam todos, quando isso aconteceu?

— Quando as luzes se apagaram? Ora, em pé por aí, sabe como é... Hinch (a srta. Hinchcliffe) estava parada em frente à lareira, com as pernas meio afastadas e de mão na cintura, feito um homem.

— Estavam todos nesta parte da sala ou do outro lado, depois do arco?

— Quase todo mundo estava aqui. Patrick tinha ido para lá, para apanhar o xerez. Acho que o coronel Easterbrook foi atrás dele, mas não tenho certeza. Nós... Nós estávamos todos espalhados.

— E a senhorita?

— Acho que eu estava perto da janela. Tia Letty tinha ido apanhar os cigarros.

— Na mesa perto do arco?

— É... e foi então que as luzes se apagaram e começou a cena de cinema.

— O sujeito tinha uma lanterna bastante forte... O que fez com ela?

— Ora, ele jogou a luz em cima da gente. Era muito forte... não dava para aguentar sem fechar os olhos.

— Quero que me responda agora com muito cuidado, srta. Simmons. Ele segurou a lanterna numa só posição ou ficou movendo o feixe de luz?

Julia parou para pensar. Já estava bem menos fria e distante.

— Ele a moveu — respondeu, em voz pausada — como um canhão de luz numa pista de dança. Estava bem nos meus olhos e depois deu a volta pela sala; então, vieram os tiros. Dois tiros.

— E depois?

— Ele se virou... e Mitzi começou a berrar feito uma sirene de ambulância; a lanterna se apagou, e houve outro tiro. Depois, a porta se fechou (ela fecha sozinha, sabe, devagarinho, rangendo... é meio sinistro), e ficamos todos no escuro, sem saber o que fazer, com a pobre da Bunny soltando gritinhos como um coelho, e a Mitzi berrando do outro lado da porta.

— Na sua opinião, o homem se feriu deliberadamente ou tropeçou e o revólver disparou por acidente?

— Não tenho a menor ideia. Foi tudo tão teatral. Para falar a verdade, eu pensei que fosse uma brincadeira idiota... até ver o sangue escorrendo da orelha da tia Letty. Mesmo que alguém quisesse disparar um revólver para fazer a coisa ficar mais realista, presume-se que tivesse o cuidado de atirar para o alto, não acha?

— É claro. Acredita que ele pudesse ver claramente em quem estava atirando? Quero dizer, a sra. Blacklock estava bem visível à luz da lanterna?

— Não sei. Não estava olhando para ela, mas para ele.

— O que quero dizer é o seguinte: a senhorita acha que o sujeito estava apontando diretamente para ela? Unicamente para ela, entende?

Julia pareceu um pouco surpresa com a pergunta.

— O senhor quer dizer que ele atirou nela de propósito? Ah, creio que não... Afinal de contas, se quisesse dar um tiro nela, haveria uma porção de oportunidades melhores. Não faria sentido reunir todos os amigos e vizinhos, só para dificultar. Ele poderia ficar de tocaia atrás de uma cerca, no velho estilo irlandês, qualquer dia da semana, e provavelmente ninguém veria nada.

Essas palavras, pensou Craddock, contrastavam muito bem com a opinião de Dora Bunner, que acreditava num ataque proposital contra Letitia Blacklock.

Com um suspiro, ele disse:

— Obrigado, srta. Simmons. Acho que vou conversar com Mitzi, agora.

— Cuidado com as unhas dela — preveniu Julia. — Ela é uma fera!

II

Craddock, acompanhado por Fletcher, encontrou Mitzi na cozinha. Estava fazendo massa de pastel e levantou os olhos com desconfiança ao vê-los entrar.

Seus cabelos negros caíam sobre a testa, estava visivelmente mal-humorada e seu avental vermelho, sobre uma saia verde, realçava ainda mais a sua palidez.

— O que vem fazer em minha cozinha, sr. Polícia? É da polícia, não é? Ah, perseguição não acaba nunca, nunca... eu já devia acostumar. Dizia que Inglaterra ia ser diferente, mas não, não, é tudo mesma coisa. Sr. Polícia vem me torturar, fazer-me dizer coisas, mas eu não digo nada. Pode arrancar minhas unhas, encostar fósforos acesos na minha pele... ah, pode fazer até pior. Mas não vou falar, hein? Não digo nada... nada, nada, nada. Pode me mandar para campo de concentração, não importo.

Craddock a encarou, pensativo, escolhendo o melhor método de ataque. Finalmente, suspirou e disse:

— Muito bem, apanhe seu casaco e seu chapéu.

— O que diz? — perguntou Mitzi, espantada.

— Apanhe seu chapéu e seu casaco e vamos embora. Esqueci a ferramenta para arrancar unhas, e o resto do meu equipamento ficou na delegacia. Tem as algemas aí, Fletcher?

— Senhor! — disse Fletcher, com entusiasmo.

— Mas eu não quero — gemeu Mitzi, recuando.

— Então tem de responder com bons modos a todas as perguntas que forem feitas com bons modos. Se quiser, poder ter um advogado presente.

— Advogado? Não gosto advogado. Não quero advogado.

Deixou de lado o rolo de amassar pastéis, limpou as mãos num pano e se sentou.

— O que senhor quer saber? — perguntou.

— Quero a sua versão do que aconteceu aqui ontem à noite.

— O senhor já sabe muito bem.

— Mas quero a sua versão.

— Eu queria ir embora. Ela contou isso? Foi quando vi no jornal convidarem para crime. Eu queria ir embora. Ela não deixava. Mulher muito dura... não gosta da gente. Fez eu ficar. Mas eu sabia... eu sabia o que acontecer. Eu sabia que iam me matar.

— Mas não mataram, não é?

— Não — admitiu ela, contrafeita.

— Então, vamos lá: conte o que houve.

— Eu estava nervosa. Ah, tão nervosa. Desde cedo. Ouvi coisas. Gente andando, rondando. Uma vez, ouvi pessoa esgueirando na saleta de entrada... mas era apenas aquela sra. Haymes, entrando por porta do lado (para não sujar escada da frente, ela disse, como se ela fazia muita questão!). É nazista, aquela mulher... com cabelo louro, olho azul, jeito de ser melhor que eu, pensando que eu sou uma... uma porcaria...

— Não se preocupe com a sra. Haymes.

— Quem ela pensar que é? Tem curso de universidade, como eu? Tem diploma de economia? Não tem, não. É jardineira... vive cavando, aparando grama, para ganhar ninharia no fim da semana. Por que ela é uma senhora?

— Eu disse para não se preocupar com a sra. Haymes. Vamos em frente.

— Eu apanhei xerez e cálices e coisas de comer que fiz, muito gostosas, e levei para sala de visitas. Então, a campainha toca e eu abro porta. Uma porção de vezes eu abro porta. É humilhação... mas eu abro. E depois volto para copa e vou limpar prataria, e fico pensando que é ideia boa, porque, se alguém vem matar, já tenho a faca de trinchar, bem afiada, aqui pertinho de mim.

— Muito bem pensado.

— Então, de repente, ouvi tiros. Eu penso: "Chegou a hora, está começando." Corri por sala de jantar (a outra porta, ela não abre), parei um momento para ouvir e então outro tiro e um barulhão, e eu mexi no trinco, mas estava trancado no outro lado. Eu fechada, como rato em ratoeira. Eu louca de medo. Eu gritei e gritei e gritei e bati com mãos na porta. Enfim... Enfim, eles abriram porta e me deixaram sair. Então eu apanhei velas, muitas velas, muitas. Luzes acenderam, e eu vi sangue, sangue! *Ach, Gott in Himmel*, o sangue! Não é primeira vez que eu vejo sangue. Meu irmãozinho... eu vi morrer, na minha frente... e sangue nas ruas... gente ferida, morrendo... eu...

— Está bem — disse o inspetor Craddock. — Muito obrigado.

— E agora — disse Mitzi, dramaticamente — pode prender e levar para cadeia!

— Hoje não — disse o policial.

III

Quando Craddock e Fletcher atravessavam a saleta, a porta da frente se abriu com violência, e um rapaz, alto e bonito, quase os atropelou.

— Os guardiães da lei! — exclamou o jovem.

— Sr. Patrick Simmons?

— Certo, inspetor. O senhor é o inspetor, e o outro é o sargento, correto?

— Correto, sr. Simmons. Podemos conversar por um minuto, por favor?

— Sou inocente, inspetor, juro que sou.

— Vamos, sr. Simmons, não se faça de tolo. Tenho que ouvir outras pessoas ainda e não posso perder tempo. Que sala é essa? Podemos entrar?

— Nós a chamamos de estúdio... mas ninguém estuda ou trabalha de verdade nela.

— Pensei que o senhor estudasse — disse Craddock.

— Descobri que não conseguia me concentrar na matemática, então vim para casa.

Sem prestar atenção às suas brincadeiras, o inspetor Craddock pediu, e obteve, detalhes completos de identificação e serviço militar.

— Agora, sr. Simmons, descreva o que aconteceu ontem à noite.

— Nós caprichamos, inspetor. Mitzi fez canapés, e a tia Letty abriu uma garrafa nova de xerez...

Craddock interrompeu:

— Uma nova garrafa? Havia uma antiga?

— Havia. Pela metade. Mas tia Letty implicou com ela, parece.

— Ela estava nervosa, na sua opinião?

— Não, creio que não. Ela é muito sensata. Foi a velha Bunny, eu acho, quem a exasperou um pouco... passou o dia inteiro falando em tragédias.

— A sra. Bunner estava realmente preocupada, então?

— Ah, estava... divertiu-se muito.

— Ela levou o anúncio a sério?

— Claro, ficou apavorada.

— Parece que a sra. Blacklock, quando leu o anúncio, teve a impressão de que o senhor tinha alguma coisa a ver com aquilo. Por quê?

— Ora, por quê! Eu levo a culpa de tudo o que acontece por aqui!

— Mas o senhor não teve coisa alguma a ver com o anúncio, teve, sr. Simmons?

— Eu? Nem sonhando!

— Alguma vez já conversou com esse tal Rudi Scherz ou já o tinha visto?

— Nunca.

— No entanto, é o tipo de brincadeira que poderia ter feito, hein?

— Quem lhe disse isso? Só porque uma vez pus uma torta de maçã debaixo dos lençóis da Bunny... ou porque mandei uma carta para Mitzi, dizendo que a Gestapo estava atrás dela...

— Conte-me a sua versão do que aconteceu.

— Eu tinha ido apanhar as bebidas quando, de repente, Shazam!, as luzes se apagaram. Eu me virei e vi um sujeito parado na porta, dizendo: "Mãos ao alto", e todo mundo começou a dar gritinhos. No momento exato em que eu me decidi a pular em cima dele, o rapaz começou a atirar. Logo depois se esborrachou no chão; sua lanterna se apagou e ficamos novamente no escuro. O coronel Easterbrook começou a gritar ordens com sua voz de quartel. "Luzes", ele disse... e pensa que meu isqueiro quis acender? Claro que não, como sempre.

— Pareceu-lhe que o intruso estava apontando especificamente para a sra. Blacklock?

— Ah, como eu ia saber? Tenho a impressão de que começou a atirar só para se distrair um pouco... e então percebeu que tinha ido longe demais.

— E se matou?

— Pode ser. Quando vi o seu rosto, pareceu-me que era o tipo do ladrãozinho barato que perde a cabeça à toa.

— E nunca o tinha visto antes?

— Jamais.

— Obrigado, sr. Simmons. Quero ouvir as outras pessoas que estavam aqui ontem à noite. Qual seria a melhor forma de encontrá-las?

— Bem, a nossa Phillipa, a sra. Haymes, trabalha no Dayas Hall, cujos portões ficam bem em frente aos nossos. Depois, tente os Swettenham, que moram logo adiante. Qualquer pessoa poderá ensinar-lhes o caminho.

Capítulo 7
Entre os presentes

I

O Dayas Hall não escondia as cicatrizes da guerra, visíveis em diversas áreas dos jardins, onde ervas daninhas e inúteis cresciam vigorosamente.

Uma parte da horta, entretanto, apresentava sinais de disciplina, e ali Craddock encontrou um homem idoso, de cara amarrada, que pensava na vida, apoiado no cabo de uma enxada.

— Está procurando a sra. Haymes? Não sei por onde anda. Ela só faz mesmo o que bem entende, nunca ouve as outras pessoas. Eu podia ajudar, com muita boa vontade, mas para quê? Não adianta, essa mocidade de hoje não ouve nada do que se ensina! Pensam que sabem tudo, só porque usam calças compridas e já deram umas voltinhas em cima de um trator. Mas aqui o problema é de jardinagem. E isso não se aprende num dia. Jardinagem, isso é que é.

— Parece que é mesmo — concordou Craddock.

O velho aceitou o comentário como um incentivo.

— Agora preste atenção, moço, o que que eu posso fazer num lugar deste tamanho? Antigamente, eram três homens e um menino. Não se pode fazer com menos que isso. E não há muita gente por aí que trabalhe tanto quanto eu. Tem vezes em que não largo antes das oito. Antes das oito horas da noite!

— Como o senhor consegue? Usa lanterna?

— Não, não é nesta época do ano. Claro. É no verão que eu faço isso, no verão.

—Ah — disse Craddock. — Bem, vou procurar a sra. Haymes.

O homem se interessou.

— Por quê? O senhor é da polícia, não é? Ela se meteu em alguma complicação? Ou foi por causa daquela confusão em Little Paddocks? A tal história dos mascarados que assaltaram a casa? Ah, uma coisa assim não aconteceria antes da guerra. Devem ser desertores, aposto. Gente desesperada, andando por aí. Por que o Exército não prende esses sujeitos?

— Não faço ideia — disse Craddock. — Imagino que o assalto esteja sendo muito comentado.

— Ora, se está... Onde é que vamos parar? Foi exatamente o que Ned Barker perguntou. Ele acha que é por influência do cinema. Mas Tom Riley pensa diferente: que o problema são todos esses estrangeiros que vieram para cá. Ele disse que tem certeza de que aquela moça que cozinha para a sra. Blacklock, aquela de mau gênio, está metida na história. Disse que ela é comunista, se não for coisa pior, e ninguém precisa de gente assim por aqui. Já Marlene, a moça que trabalha no bar, acha que deve ter alguma coisa que valha muito dinheiro na casa da sra. Blacklock. Ninguém imaginaria isso, diz ela, porque ninguém pode ser mais simples do que a sra. Blacklock, quer dizer, tirando aquele colar de pérolas que ela usa. "Só que pode ser que as pérolas sejam de verdade..." ela disse, e Florrie (é a filha do velho Bellamy) então disse que era besteira, que todo mundo podia ver que eram "joias de fantasia", foi como ela disse. Fantasia... maneira engraçada de dizer que uma coisa é falsificada, o senhor não acha? Antigamente, falava-se muito em "pérolas romanas" e em "diamantes de Paris" (minha mulher era dama de companhia de uma Lady, por isso eu sei), mas é tudo a mesma coisa: vidro puro! Aquela srta. Simmons, acho que também são essas fantasias que ela usa... folhas de hera e besourinhos dourados. Hoje em dia, não se vê muito ouro de verdade por aí... até alianças de casamento eles estão fazendo dessa tal de platina. Uma porcaria, na minha opinião.

O velho Ashe fez uma pausa, recuperou o fôlego e continuou:

— O Jim Huggins garantiu que a sra. Blacklock não guarda muito dinheiro em casa; ele deve saber, porque é a mulher dele que vai lá todo dia arrumar a casa, e aquela velha sabe de tudo que acontece perto dela. Abelhuda, sabe como é?

— Ele disse qual era a opinião da sra. Huggins?

— Para ela, aquela Mitzi está metida na história. Mal-humorada daquele jeito e toda convencida, ainda por cima! Outro dia mesmo chamou sra. Huggins de serviçal.

Craddock ficou parado por um momento, organizando dentro da cabeça a parte essencial dos comentários do velho jardineiro. Era uma boa visão panorâmica da opinião pública rural de Chipping Cleghorn, embora não contivesse coisa alguma que o pudesse auxiliar em seu trabalho. Começou a afastar-se, enquanto o velho lhe dizia:

— Pode ser que ela esteja perto das macieiras. Deve estar colhendo as maçãs; estou muito velho para isso.

Realmente, foi lá que Craddock encontrou Phillipa Haymes. Sua primeira visão foi a de um belo par de pernas, em calças de montaria, escorregando pelo tronco de uma árvore. Logo surgiu Phillipa inteira, com o rosto corado e o cabelo despenteado pelos galhos. Ela o encarou com um ar meio assustado.

"Daria uma boa Rosalinda", pensou Craddock automaticamente; o detetive era um entusiasta de Shakespeare e desempenhara, com muito sucesso, o papel do melancólico Jaques numa apresentação de *Do jeito que você gosta*, em benefício do orfanato sustentado pela polícia.[2]

Mas logo depois mudou de ideia. Phillipa Haymes era muito dura para ser uma boa Rosalinda; seus cabelos louros e sua impassividade eram intensamente britânicos, mas de uma Inglaterra do século XX, e não do século XVI. Um britanismo bem-educado e frio, sem uma centelha de malícia.

---

[2] Rosalinda, inteligente e voluntariosa, é a heroína dessa comédia de Shakespeare (N. da T.).

— Bom dia, sra. Haymes. Desculpe se a assustei. Sou o inspetor Craddock, da polícia de Middleshire. Gostaria de conversar um pouco.

— Sobre ontem à noite?

— Exato.

— Vai demorar? Será que...

Ela olhou em volta, desconcertada, mas Craddock apontou para um tronco caído.

— Sem cerimônia — disse ele. — Não quero interromper o seu trabalho mais do que o necessário.

— Obrigada.

— É só uma questão de rotina. A que horas a senhora voltou do trabalho ontem?

— Mais ou menos às 17h30. Eu me atrasei uns vinte minutos porque precisava regar algumas plantas na estufa.

— Ao chegar em casa, entrou por qual porta?

— A porta do lado. A gente corta caminho passando ao lado dos patos e das galinhas; encurta caminho sem sujar a escada da frente. Eu, às vezes, no fim do dia, estou num estado lastimável...

— A senhora sempre faz esse caminho?

— Sempre.

— A porta estava destrancada?

— Estava. No verão, ela costuma ficar escancarada. Mas, nesta época do ano, geralmente está fechada, mas não trancada. Todo mundo vive entrando e saindo por ela. Eu a tranquei quando entrei.

— Também faz isso sempre?

— Há uma semana. É que escurece por volta das seis horas, percebe? A sra. Blacklock costuma sair para fechar os patos e as galinhas mais tarde, mas geralmente ela passa pela porta da cozinha.

— E a senhora tem certeza de que trancou a porta lateral desta vez?

— Certeza absoluta.

— Certo, sra. Haymes. E o que fez quando entrou?

— Tirei os sapatos enlameados e fui para cima, tomar um banho e trocar de roupa. Quando desci, vi que havia uma espécie de festinha. Até aquela hora eu não sabia coisa alguma sobre o tal anúncio no jornal.

— Agora, por favor, descreva o que aconteceu na hora do assalto.

— Bem, as luzes se apagaram de repente...

— Onde estava a senhora?

— Perto da lareira. Eu estava procurando o meu isqueiro, que imaginava ter deixado por ali. As luzes se apagaram... e todo mundo começou a dar risadinhas. Então, a porta se abriu e apareceu aquele homem, jogando a luz da lanterna em cima da gente, sacudindo um revólver e mandando que levantássemos as mãos.

— Foi obedecido?

— Não por mim. Pensei que era tudo brincadeira, estava cansada e, para falar a verdade, não estava realmente disposta a erguer os braços.

— Na realidade, a senhora estava aborrecida com aquilo tudo?

— Estava mesmo. Então, o revólver disparou. Os tiros foram ensurdecedores, e fiquei assustada de verdade. A luz começou a dançar de repente, e a lanterna acabou caindo e se apagando. Foi quando Mitzi começou a gritar. Parecia que estavam matando um porco.

— A luz da lanterna era muito ofuscante, na sua opinião?

— Não, não muito. Mas era bastante forte. Caiu em cima da sra. Bunner por um segundo, e ela parecia o fantasma de um rabanete, de tão branca, com a boca aberta e os olhos esbugalhados.

— O homem moveu a lanterna de um lado para o outro?

— Ah, sim. Ele passeou com a luz por toda a sala.

— Como se estivesse procurando alguém?

— Acho que não.

— E depois, sra. Haymes?

Phillipa Haymes franziu a testa.

— Ah, foi a maior confusão, uma gritaria... Edmund Swettenham e Patrick Simmons acenderam os seus isqueiros e saíram para a saleta de entrada; nós fomos atrás. Alguém abriu a porta da sala de jantar (as luzes não tinham se apagado lá), e Edmund Swettenham deu um tremendo bofetão na bochecha de Mitzi para tirá-la do acesso de histeria. A partir daí ela melhorou bastante.

— A senhora viu o corpo do morto?

— Vi.

— Conhecia-o? Já o vira antes?

— Nunca.

— Acha que a morte foi acidental ou pensa que ele se feriu deliberadamente?

— Não tenho a menor ideia.

— Não o viu na primeira vez que ele esteve na casa?

— Não. Acho que foi no meio da manhã, e eu não devia estar em casa. Passo o dia todo fora.

— Muito obrigado, sra. Haymes. Só mais uma coisa. Tem alguma joia de valor? Anéis, braceletes, qualquer coisa assim?

Phillipa sacudiu a cabeça.

— O meu anel de casamento... e uns dois broches.

— E, tanto quanto saiba, não havia nada de especialmente valioso na casa?

— Não. Quer dizer, alguns objetos de prata bem bonitos, mas nada fora do comum.

— Muito obrigado, sra. Haymes.

II

Quando Craddock se retirava, atravessando a horta, deparou com uma senhora muito corada — o que talvez fosse consequência da apertada cinta que usava.

— Bom dia — disse ela, belicosamente. — Quer alguma coisa?

— Sra. Lucas? Sou o inspetor Craddock.

— Ah, entendo. Desculpe-me. Não gosto de estranhos se metendo no meu jardim, atrapalhando os meus jardineiros. Mas o senhor está apenas cumprindo suas obrigações.

— Exatamente.

— Eu gostaria de saber se devíamos nos preparar para uma repetição daquele ultraje de ontem, na casa da sra. Blacklock. É uma quadrilha, por acaso?

— Temos praticamente certeza, sra. Lucas, de que não foi trabalho de um bando.

— Há muitos assaltos hoje em dia. A polícia anda relaxando.

Craddock não respondeu.

— O senhor deve ter conversado com Phillipa Haymes, não?

— Queria ouvir a sua história como testemunha ocular.

— Não poderia ter esperado até uma hora, poderia? Afinal, seria mais justo interrogá-la na hora de descanso, que é dela, do que no horário de trabalho, que é meu...

— Preciso voltar à delegacia o quanto antes.

— O problema é que ninguém mais tem consideração hoje em dia. Também, ninguém mais trabalha direito. Chegam com atraso, passam meia hora de mãos abanando, às dez horas vão tomar café e, na hora de começar a trabalhar, começa a chover. Quando é preciso cortar a grama, pode contar que o cortador está com defeito. E a hora de saída é sempre adiantada em dez, quinze minutos.

— A sra. Haymes me disse que ontem saiu daqui às 5h20 da tarde, e não às cinco horas.

— Ah, isso pode ser. É preciso reconhecer que a sra. Haymes é muito dedicada ao trabalho, embora, muitas vezes, não consiga achá-la em parte alguma. Ela é muito bem-nascida, o senhor sabe, e nós temos a obrigação de fazer alguma coisa por essas pobres viúvas de guerra. Embora nunca se escape de aborrecimentos. As férias escolares são muito longas, e ela exigiu que tivesse maior tempo livre durante elas. Eu lhe disse que existem ótimos campos de férias para onde se podem mandar as crianças; elas se divertem muito mais do que agarradas nas saias das mães. Não há necessidade alguma de passarem as férias com os pais.

— Mas a sra. Haymes não recebeu a sugestão com bons olhos, certo?

— Teimosa como uma mula, essa menina. Logo na época do ano em que eu preciso ter a quadra de tênis aparada e remarcada quase todos os dias. O velho Ashe não consegue fazer uma linha reta. Mas acontece que o meu problema ninguém leva em consideração!

— Com certeza, o salário da sra. Haymes é menor do que o normal...

— Claro. Tudo tem que ter uma compensação.

— Evidentemente. Bom dia, sra. Lucas.

III

— Foi horrível — disse a sra. Swettenham, com ar satisfeito. — Mas muito... muito horrível mesmo. Na minha opinião, o pessoal da *Gazette* deveria ser muito mais cuidadoso com os anúncios que eles aceitam. Quando eu o li, achei muito esquisito. Foi o que eu disse, não se lembra, Edmund?

— A senhora se lembra do que estava fazendo quando as luzes se apagaram, sra. Swettenham? — perguntou o inspetor.

— Ah, tão parecido com as charadas do meu tempo de criança! "Onde estava Moisés quando a luz se apagou?" A resposta era, naturalmente, "no escuro". Como aconteceu conosco ontem à noite. Todo mundo lá, sem saber o que ia acontecer. E, de repente, aquela emoção (o senhor sabe como é), quando a luz se apagou. E a porta se abriu; mal se via o homem parado lá, com o revólver e aquela lanterna que cegava a gente, e a voz ameaçadora, dizendo: "A bolsa ou a vida!" Ah, nunca me diverti tanto. É claro que logo depois tudo ficou horrível, simplesmente horrível! Balas de verdade, assoviando pelas orelhas da gente! Deve ter sido igual aos comandos na guerra.

— Onde estava a senhora nessa ocasião, sra. Swettenham?

— Ora, deixe-me ver, onde é que eu estava? Com quem eu estava conversando, Edmund?

— Não faço a menor ideia, mamãe.

— Acho que estava perguntando à srta. Hinchcliffe o que ela achava de dar óleo de fígado de bacalhau às galinhas durante o inverno... Ou era a sra. Harmon?... Não, ela tinha acabado de chegar. Tenho a impressão de que estava comentando com o coronel Easterbrook sobre o perigo de instalarem um laboratório de pesquisas atômicas na Inglaterra. Deveria ser numa ilha perdida no meio do mar, para não haver perigo de radioatividade.

— Não se recorda se estava sentada ou de pé?

— Faz muita diferença, inspetor? Eu estava perto da janela, ou então ao lado da lareira... eu sei porque estava bem junto do relógio quando ele deu as horas. Foi tão emocionante! Aquela espera, sem ninguém saber o que ia acontecer!

— A senhora disse que a luz da lanterna a cegou. Estava voltada diretamente para a senhora?

— Estava bem nos meus olhos; eu não conseguia ver coisa alguma.

— O homem manteve o feixe de luz imóvel? Ou ele o passou de uma pessoa para a outra?

— Ah, não sei. O que fez ele, Edmund?

— Ele iluminou a todos, um a um, lentamente, como se estivesse verificando o que fazíamos. Acho que queria saber se alguém estava se preparando para atacá-lo.

— E em que parte da sala estava o senhor, então?

— Estava conversando com Julia Simmons. Estávamos os dois de pé no meio da sala.

— Estavam todos na parte principal da sala? Ou havia alguém do outro lado do arco?

— Phillipa Haymes tinha passado para o lado de lá, acho eu. Ela estava perto da outra lareira. Creio que procurava alguma coisa.

— Tem alguma ideia a respeito do terceiro tiro? Se foi acidente ou suicídio?

— Não sei. O homem girou nos calcanhares de repente, e depois se dobrou sobre si mesmo e caiu ao chão, mas tudo foi bastante confuso. O problema é que não se via nada. Depois, aquela moça, a refugiada, começou a berrar como uma desesperada.

— Foi o senhor quem abriu a porta da sala de jantar e a deixou sair, não?

— Eu mesmo.

— A porta estava trancada por fora mesmo, fora de qualquer dúvida?

Edmund o olhou com curiosidade.

— Claro que estava. O senhor não está pensando...

— Eu apenas gosto de ter certeza das coisas. Muito obrigado, sr. Swettenham.

IV

O inspetor Craddock foi forçado a passar bastante tempo com o coronel e a sra. Easterbrook. Teve de ouvir uma longa dissertação sobre o ângulo psicológico do caso.

— Hoje em dia, é preciso abordar as coisas pelo ângulo psicológico — disse-lhe o coronel. — Precisamos compreender os nossos criminosos. O problema em questão é realmente muito simples, para um homem com a minha experiência. Por que o nosso amigo coloca o anúncio? Psicologia: ele quer se anunciar, atrair atenção para a sua pessoa. Tem sido esquecido, desprezado, por ser estrangeiro, pelos outros funcionários do hotel. Quem sabe, uma moça pode tê-lo rejeitado. Ele quer captar a sua atenção. Quem é o ídolo cinematográfico do mundo moderno? O gângster, o homem mau? Muito bem, ele será, então, um homem mau. Assalto à mão armada. Uma máscara, um revólver, mas também precisa de uma plateia. Então, providencia uma. E, assim, no momento supremo, ele perde o controle do papel. Passa a ser mais que um assaltante: é um assassino. Atira... às cegas...

O inspetor Craddock apanhou a palavra no ar:

— "Às cegas", diz o senhor, coronel. Não admite que ele pudesse estar atirando deliberadamente em alguém, isto é, na sra. Blacklock?

— Não, não. Ele apertou o gatilho, como eu disse, às cegas. E foi isso que o fez cair em si. A bala acertou em alguém, apenas de raspão, é verdade, mas ele não sabia disso. De repente, caiu em si. Tudo aquilo, a representação que ele preparara, era real. Ele atirara em alguém... talvez tivesse matado alguém... A realidade é como um murro em seu rosto. Em pânico, volta o revólver contra si mesmo.

O coronel Easterbrook fez uma pausa, pigarreou com imponência e concluiu, em tom satisfeito:

— Claro como água, não tenho a menor dúvida; claro como água.

— É tão maravilhosa — disse a sra. Easterbrook — a maneira como você sabe dizer exatamente o que aconteceu, Archie.

Sua voz estava carregada de admiração. O inspetor Craddock, por sua vez, também estava admirado, embora de outra forma.

— Exatamente em que lugar da sala estava o senhor, coronel Easterbrook, quando foram disparados os tiros?

— Estava de pé, ao lado de minha esposa; perto de uma mesa de centro onde havia um jarro com flores.

—Você se lembra, Archie, que eu segurei o seu braço, na hora em que a luz apagou? Estava tão apavorada. Não sei o que seria de mim se você não estivesse ali.

— Pobre gatinha... — disse o coronel, brincalhão.

V

O inspetor encontrou a srta. Hinchcliffe ao lado de um chiqueiro.

— São ótimas criaturas, os porcos — disse ela, coçando um dorso áspero e rosado. — Este está indo muito bem, não acha? Vai dar um ótimo bacon na época do Natal. Bom, mas o que quer o senhor? Já contei aos seus homens, na noite passada, que não tenho a menor ideia de quem era aquele homem. Nunca o vi nas vizinhanças, espionando ou fazendo algo parecido. A sra. Mopps diz que ele veio de um dos hotéis de Medenham Wells. Por que ele não roubou alguém por lá mesmo, se precisava tanto? Daria muito maior lucro.

Isso era indiscutível. Craddock continuou com as suas perguntas.

— Onde estava a senhora, exatamente, quando o incidente ocorreu?

— Incidente! Maneira muito delicada de definir as coisas! Onde é que eu estava quando começou o tiroteio? É isso que o senhor quer saber?

— É.

— Apoiada na lareira, rezando para alguém me oferecer um drinque — replicou prontamente a srta. Hinchcliffe.

— Acha que os tiros foram disparados às cegas ou dirigidos contra uma pessoa em particular?

— O senhor está falando de Letty Blacklock? Como diabo eu vou saber uma coisa dessas? É muito difícil saber exatamente o que aconteceu ou o que eu estava pensando na hora. Tudo o que lembro é que as luzes se apagaram e apareceu aquela laterna dançando pela sala e cegando todo mundo. Depois, houve os tiros, e eu pensei: "Se esse idiota do Patrick Simmons inventou alguma brincadeira com um revólver carregado, alguém vai se machucar."

— Pensou que fosse ideia de Patrick Simmons?

— Parecia bem provável. Edmund Swettenham é um intelectual que escreve livros e não é metido a engraçado; o velho coronel Easterbrook não acharia a menor graça em preparar aquela confusão. Mas Patrick é um menino levado. De qualquer maneira, eu lhe devo desculpas pelo que pensei.

— A sua amiga também pensou que fosse coisa de Patrick Simmons?

— Murgatroyd? É melhor falar com ela. Não que diga coisa com coisa. Está lá no pomar. Vou chamá-la, se quiser.

Enchendo os pulmões, a srta. Hinchcliffe soltou um berro estentório:

— Ei! Murgatroyd!

— ...indo... — ouviu-se uma voz aguda e tímida.

— Depressa... é a políííííícia! — gritou a srta. Hinchcliffe.

A srta. Murgatroyd chegou, trotando nervosamente, quase sem fôlego. Sua saia tinha a bainha descosida, e o cabelo escapava de uma rede malcolocada na cabeça. O rosto, redondo e simpático, abria-se num largo sorriso.

— Scotland Yard? — perguntou ela, ofegante. — Eu não sabia. Se soubesse, não tinha ido lá para longe.

— Não chamamos a Scotland Yard, ainda, srta. Murgatroyd. Sou o inspetor Craddock, de Milchester.

— Ah, mas é formidável, não? — respondeu ela, sem parecer muito entusiasmada. — Já descobriu muitas pistas?

— Onde é que você estava na hora do crime? É isso que ele quer saber — disse a srta. Hinchcliffe, piscando para Craddock.

— Ah, meu Deus — gemeu a srta. Murgatroyd. — Mas é claro, eu devia estar preparada. Um álibi. Deixe-me pensar... ora, eu estava junto com os outros.

— Não comigo — disse a srta. Hinchcliffe.

— Ah, Hinch, não estava? Não, é verdade, estava do outro lado, olhando os crisântemos. Muito fraquinhos, por sinal. E, de repente, aconteceu tudo aquilo, só que eu não entendi nada, na hora, quer dizer, eu não sabia em que ia dar aquilo tudo. Nem pensei que aquele revólver fosse de verdade. E aquela confusão toda, com a gritaria... Eu não entendia nada, percebe? Pensei que ela estivesse sendo assassinada... quer dizer, a moça refugiada. Pensei que estivessem cortando a garganta dela lá na outra sala. Não sabia que era ele... para falar a verdade, eu nem sabia que era um homem. Só tinha ouvido a voz, pedindo para a gente levantar os braços.

— Levantar as mãos — corrigiu a srta. Hinchcliffe. — E era uma ordem, não um pedido.

— Tenho até vergonha de dizer que, até aquela moça começar a gritar, eu estava achando tudo meio divertido. Só não estava gostando muito das luzes apagadas, e alguém pisou no meu pé. Uma dor! Quer saber alguma coisa mais, inspetor?

— Não — disse o inspetor Craddock, olhando-a com uma mistura de curiosidade e espanto. — Acho que não.

A outra mulher deu uma risada áspera.

— Ele não quer mais nada com você, Murgatroyd.

— Pode ter certeza, Hinch — disse a amiga —, estou inteiramente disposta a colaborar no que me for possível.

— Ele não está interessado — replicou a srta. Hinchcliffe. Voltando-se para o inspetor, ela continuou: — Se o senhor está fazendo a sua romaria geograficamente, sua próxima parada deve ser a casa do pastor. Talvez consiga alguma coisa por lá. A sra. Harmon dá a impressão de ser um tanto confusa, mas às vezes suspeito de que ela não é totalmente desprovida de miolos. Às vezes.

Vendo o inspetor e o sargento Fletcher se afastarem com firmes passadas, a srta. Murgatroyd comentou, preocupada:

— Ah, Hinch, eu me saí muito mal? Eu fico tão atrapalhada!

— Pelo contrário. — A srta. Hinchcliffe sorria. — No fim das contas, acho que você se portou muito bem.

VI

A sala, modesta apesar de espaçosa, fazia o inspetor Craddock sentir-se bem. Lembrava-lhe, um pouco, a sua própria casa, em Cumberland. Cortinas desbotadas, poltronas grandes e gastas pelo uso, livros e flores por todos os cantos e um cachorro numa cestinha. Também achava simpática aquela sra. Harmon, com seu ar distraído, sua aparência desarrumada, sua expressão cheia de boa vontade.

Entretanto, ela logo lhe disse, com franqueza:

— Não vou poder ajudá-lo em nada. Eu fechei os olhos. Não suporto ser ofuscada por uma luz forte. Depois, houve aqueles tiros, e eu apertei ainda mais os olhos. E eu preferia (ah, seria tão melhor!) que fosse um homicídio silencioso. Detesto barulho.

— Então, a senhora não viu nada. — O inspetor sorriu para ela. — Mas teria ouvido...

— Ah, decerto; havia muito para se ouvir. Portas se abrindo e fechando, pessoas dizendo bobagens ou com falta de ar, Mitzi berrando feito uma locomotiva, a pobre Bunny gemendo como um coelhinho encurralado, e todos se empurrando, e tropeçando uns nos outros. Quando eu tive certeza de que não haveria mais disparos, abri os olhos. Todos já estavam lá fora, com velas acesas. E, então, as luzes voltaram e de repente tudo ficou como antes; eu sei que não era exatamente assim, mas pelo menos nós tínhamos voltado a ser o que éramos... não mais pessoas sem identidade, perdidas no escuro. As pessoas mudam muito no escuro, não acha?

— Acho que sim; acho que entendo o que a senhora quer dizer.

A sra. Harmon sorriu para ele.

— E, então, ali estava ele — ela prosseguiu. — Um homenzinho com cara de estrangeiro, muito corado, com um ar de surpresa no rosto, estendido no chão, morto... com um revólver do lado. Não... Não fazia sentido, não sei bem por quê.

Para o inspetor, também não fazia sentido.

A história toda começava a preocupá-lo.

Capítulo 8
Miss Marple entra em cena

I

Craddock pôs sobre a mesa do seu chefe o relatório datilografado de suas diversas entrevistas. Rydesdale acabava de ler o telegrama que recebera da polícia suíça.

— Ele tinha mesmo uma ficha policial — comentou. — Hum... como se esperava...

— Sim, senhor.

— Joias... hum... estelionato... cheques... sem dúvida, um rapaz extremamente desonesto.

— É verdade, senhor, mas de voo curto.

— Pois é. Mas são os voos curtos que preparam para os grandes.

— Será mesmo?

O chefe de polícia ergueu a vista.

— Está preocupado com alguma coisa, Craddock?

— Estou, senhor.

— Por quê? Tudo está bastante claro... ou não? Vamos ver o que dizem essas pessoas com quem você andou conversando.

Apanhou o relatório e o leu rapidamente.

— Nada de extraordinário: muitas contradições e enganos. As versões de pessoas diferentes sobre momentos de tensão específicos nunca concordam entre si. Mas, em linhas gerais, a história me parece bastante clara.

— Eu sei, senhor. Mas não me satisfaz. A história está contada direitinho... mas é a história errada, entende?

— Bem, vejamos os fatos. Rudi Scherz apanhou o ônibus das 17h20 em Medenham, chegando a Chipping Cleghorn às seis horas. Depoimentos de dois passageiros e do motorista. Do ponto de ônibus, ele se dirigiu, a pé, em direção a Little Paddocks. Entrou na casa sem grande dificuldade... provavelmente pela porta da frente. Intimidou os presentes com um revólver, disparou dois tiros, ferindo a sra. Blacklock ligeiramente, e em seguida matou-se com um terceiro tiro, não havendo indícios suficientes para determinar se o fez deliberadamente ou por acaso. Concordo que as razões pelas quais ele fez tudo isso são extremamente insatisfatórias. Mas o porquê não é, na verdade, um problema nosso. O júri do inquérito[3] pode dar um veredicto de suicídio ou de morte acidental; seja como for, pouco nos importa. É assunto encerrado.

— O senhor quer dizer que sempre podemos aceitar a psicologia do coronel Easterbrook — disse Craddock, com melancolia.

Rydesdale sorriu.

— Bem ou mal, o coronel provavelmente tem muita experiência — disse. — Confesso que eu não suporto esse jargão psicológico que usam para tudo hoje em dia... mas também não podemos desprezá-lo de todo.

— Eu ainda sinto que a história está errada.

— Tem alguma razão para suspeitar que alguém em Chipping Cleghorn tenha faltado com a verdade?

Craddock hesitou.

— Acho que a moça estrangeira sabe mais do que diz. Mas posso estar me prendendo a um estereótipo.

— Acha que ela poderia estar mancomunada com esse sujeito? Ter aberto a porta para ele? Ou tê-lo incentivado ao crime?

---

[3] No sistema judiciário inglês, os casos de morte violenta são submetidos, após uma primeira fase de investigação, a um júri presidido por um juiz investigador, com o único objetivo de decidir se houve ou não um crime. Os médicos-legistas são subordinados ao juiz investigador, quando este não é o próprio legista (N. da T.).

— Alguma coisa assim. Ela não estaria acima disso. Mas seria necessário que realmente existisse na casa algo de valor, dinheiro ou joias, e esse não é o caso. A sra. Blacklock nega, peremptoriamente. E os outros também. Isso nos deixa com a hipótese de que existe algo valioso na casa que todos desconhecem...

— O que daria um excelente enredo de ficção policial...

— Eu sei que é ridículo, senhor. O único outro ponto é a certeza da sra. Bunner de que Scherz tentou deliberadamente matar a sra. Blacklock.

— Bem, mas pelo que você mesmo diz... e pelo seu próprio depoimento, essa sra. Bunner...

— Ah, não há dúvida, senhor — cortou Craddock, rapidamente. — Uma péssima testemunha. Altamente influenciável. Qualquer um poderia meter-lhe o que quisesse dentro da cabeça. Mas o interessante é que essa teoria é dela mesma; ninguém a sugeriu. Todos os outros a desmentem. Por uma vez na vida, ela está nadando contra a maré.

— E por que Rudi Scherz mataria a sra. Blacklock?

— Aí é que está o problema: eu não sei. A sra. Blacklock também não... A não ser que seja uma mentirosa muito melhor do que parece. Ninguém sabe. Portanto, aparentemente, a teoria é falsa.

Ele suspirou.

— Ânimo, Craddock — disse o chefe de polícia. — Vamos almoçar com Sir Henry. A melhor comida que houver no hotel Royal Spa de Medenham Wells.

— Obrigado, senhor — disse Craddock, um tanto surpreso.

— Acontece que recebemos uma carta... — Rydesdale parou, ao ver que Sir Henry Clithering entrava. — Ah, você chegou, Henry.

— Bom dia, Dermot — disse Sir Henry.

— Tenho algo para você — respondeu o chefe de polícia.

— O quê?

— Uma carta, autêntica, de uma velhinha simpática. Está hospedada no hotel Royal Spa. É sobre alguma coisa que ela acha que nos interessará, com relação ao caso de Chipping Cleghorn.

— Ah, as minhas velhotas simpáticas — disse Sir Henry, triunfante. — O que eu lhe disse? Tudo ouvem, tudo veem.

— E, para contrariar o provérbio, tudo contam. O que foi que esta velhinha em questão descobriu?

Rydesdale consultou a carta.

— Escreve igualzinho à minha avó — reclamou. — Uns arabescos, como se tivessem metido uma aranha no tinteiro; e tudo sublinhado. Gasta um espaço enorme pedindo desculpas por tomar nosso valioso tempo, embora acredite que possa ser de alguma utilidade etc. e tal... Chama-se... deixe-me ver... Jane qualquer coisa... Murple... Não, Marple. Jane Marple.

— Que o Senhor seja louvado! — exclamou Sir Henry. — Será possível? Mas é a minha velhinha particular, rainha de todas as velhinhas geniais deste mundo! É a supervelhinha! E ela deu um jeito de aparecer em Medenham Wells, em vez de estar pacificamente em casa, em St. Mary Mead. Exatamente a tempo de se meter com um homicídio. Mais uma vez, Miss Marple tem o prazer e a honra de aceitar um convite para um homicídio!

— Muito bem, Henry — disse Rydesdale, sardonicamente. — Terei o maior prazer de conhecer essa maravilha, de quem você fala nesses termos de propaganda cinematográfica. Vamos embora! Almoçaremos no Royal Spa e conversaremos com a dama. Craddock não está com cara de quem faz muita fé nos seus dotes...

— Pelo contrário, senhor — disse Craddock, polidamente.

Entretanto, não podia deixar de pensar que seu tio, às vezes, exagerava um pouco.

II

Miss Jane Marple era quase, embora não exatamente, tudo o que Craddock esperava. Mais simpática do que imaginara, e também bem mais velha. Na verdade, parecia ser bastante idosa. Seus cabelos eram muito brancos; sua pele, enrugada e rosada. Seus olhos eram extremamente azuis, suaves e inocentes. Estava coberta de lã até o pescoço, envolto no xale de bordas rendadas, e até as mãos, ocupadas em tricotar um cobertor de criança.

Estava encantada em rever Sir Henry; mostrou-se terrivelmente encabulada ao ser apresentada ao chefe de polícia e ao inspetor Craddock.

— Mas, com efeito, Sir Henry, que prazer... que sorte encontrá-lo de novo. Há quanto tempo não nos víamos... De fato, meu reumatismo tem piorado muito. É claro que eu não poderia pagar por este hotel (que preços andam cobrando ultimamente, não?) mas Raymond... meu sobrinho, Raymond West... talvez se lembre dele...

— Mas, claro, todos o conhecem.

— É mesmo, aquele menino faz tanto sucesso com seus livros, não é mesmo? Ele se orgulha de jamais escrever sobre coisas agradáveis. Mas ele se ofereceu para pagar todas as minhas despesas. E a esposa dele também está se saindo muito bem com os seus quadros. Faz muitos jarros cheios de flores murchas, e também uns pentes quebrados em cima de peitoris de janelas, coisas assim. Olhe, eu jamais tive coragem de dizer a ela, mas confesso que não gosto muito do gênero. Enfim... ah, meu Deus, já estou eu falando sem parar... E o chefe de polícia em pessoa... Eu não queria tomar o seu tempo...

"Completamente gagá", pensou Craddock, constrangido.

—Vamos para o escritório do gerente — disse Rydesdale. — Poderemos conversar mais à vontade.

Após a complicada operação de coleta de todos os novelos e agulhas de Miss Marple, ela os acompanhou, sempre ruborizada e pedindo desculpas, ao confortável gabinete do sr. Rowlandson.

— Muito bem, Miss Marple, vejamos o que tem para nos dizer — disse o chefe de polícia.

Miss Marple foi ao assunto com inesperado poder de síntese:

— Foi um cheque, ele o adulterou.

— Ele?

— Aquele rapaz que trabalhava na recepção daqui. O que é acusado de ter preparado aquele assalto e que se suicidou.

— Ele adulterou um cheque, diz a senhora?

Miss Marple fez um gesto afirmativo.

— Isso mesmo. Eu o tenho aqui — disse ela, retirando-o da bolsa para colocá-lo sobre a mesa. — Recebi-o esta manhã, junto com outros, do banco. Veja: era de sete libras, e ele o alterou para 17. Um risco vertical antes do "sete" e um acréscimo de "dezes" à frente da palavra "sete", com um floreio para confundir um pouco. Realmente, muito bem-feito. Devia ter certa prática, acho eu. É a mesma tinta, porque eu escrevi o cheque na portaria do hotel. Tenho a impressão de que ele já fez isso antes, não?

— Só que, desta vez, escolheu a pessoa errada — disse Sir Henry.

Miss Marple concordou.

— É mesmo. Tenho a impressão de que ele não iria longe como criminoso. Eu não poderia ser mais contraindicada. Uma jovem mulher casada, cheia de problemas, ou alguma moça apaixonada... esse é o tipo de gente que escreve cheques de quantias diferentes e não toma conta dos canhotos. Mas uma velha, que tem de contar os seus tostões, uma pessoa de hábitos antigos... ora, é uma péssima escolha. Eu nunca faço cheques de 17 libras. Para as despesas mensais, meus livros, vinte libras; para as despesas pessoais, são sempre sete libras... antigamente eram cinco, mas os preços subiram tanto...

— E talvez ele lhe lembre alguém? — perguntou Sir Henry, com uma pontinha de malícia.

Miss Marple sorriu e balançou a cabeça.

— O senhor é muito implicante, Sir Henry. Para falar a verdade, ele me fez lembrar de alguém, sim. Fred Tyler, o peixeiro. Sempre acrescentava o número um na coluna dos xelins. Como hoje em dia todo mundo come muito peixe, as contas são sempre muito altas, e ninguém se dá ao trabalho de verificar. Ele ficava com dez xelins a cada conta; não era muito, mas dava para comprar umas gravatas e levar Jessie Spragge (a moça que trabalhava na loja de cortinas) ao cinema. Era só para fazer um pouco de onda, como essa gente moça costuma dizer. Mas, voltando ao assunto, logo na primeira semana em que estive aqui, apareceu um erro na minha conta. Eu chamei a atenção daquele rapaz, e ele pediu desculpas, todo cheio de gentilezas. Dava a impressão de estar muito encabulado, mas eu disse para mim mesma: "Esse rapaz tem um olho esquisito..."

"Quando eu acho que alguém tem um olho esquisito — ela continuou —, é porque é uma pessoa que olha para a gente sempre de frente, sem piscar nem desviar a vista."

Craddock, quase involuntariamente, deu um sorriso de compreensão. Era exatamente o caso de Jim Kelly, um famoso vigarista que ele ajudara a pôr atrás das grades pouco tempo antes.

— Rudi Scherz era um completo marginal — disse Rydesdale. — Descobrimos que, na Suíça, tem uma extensa ficha policial.

— As coisas não andavam boas para ele por lá, e veio para cá com documentos falsos, na certa? — perguntou Miss Marple.

— Exatamente — concordou Rydesdale.

— Ele costumava sair com uma garçonete ruiva do restaurante — informou a velhota. — Felizmente, acho que ela não ficou muito chocada. Apenas gostava de ter alguém que fosse um pouco "diferente" e que lhe desse flores e bombons, coisa que os rapazes ingleses não costumam fazer. Ela já lhe contou tudo o que sabe? — perguntou, virando-se subitamente para Craddock. — Ou ainda não revelou tudo?

— Não tenho certeza — disse Craddock, prudentemente.

— Acho que ainda deve ter algum segredinho — disse Miss Marple. — Ela tem andado muito apreensiva. Hoje de manhã, trouxe-me geleia de ameixas em vez de laranja e esqueceu o bule do leite. Normalmente, é uma excelente garçonete. Aposto que está com medo. Tem medo de prestar depoimento ou alguma coisa do gênero. Mas tenho certeza... — e os seus inocentes olhos azuis examinaram, com evidente aprovação, a aparência viril e os belos traços do inspetor Craddock — ...de que o senhor conseguirá persuadi-la a contar tudo o que sabe.

Craddock enrubesceu, e Sir Henry sorriu.

— Pode ser importante — disse Miss Marple. — Pode ser que ele lhe tenha contado o nome da pessoa.

Rydesdale a olhou, surpreso.

— Que pessoa?

— Desculpe, eu não sei me expressar direito. A pessoa que o fez fazer aquilo, entende?

— Mas a senhora pensa que ele estava obedecendo a uma ordem ou sugestão de alguém?

Os olhos de Miss Marple se arregalaram de surpresa.

— Ora, mas naturalmente... quero dizer, ele não passava de um rapaz de boa aparência, que dava seus pequenos golpes... um cheque aqui, uma joiazinha barata ali, talvez uns avanços na caixa registradora... enfim, toda a sorte de espertezas miúdas. Seu único problema era ter bastante dinheiro no bolso para se vestir bem, sair com uma garota, esse tipo de coisa. E, então, de repente, ele se arma com um revólver, ataca um bando de pessoas reunidas numa sala e atira em alguém. Ora, ele jamais faria algo assim, jamais! Não é o seu tipo. Não faria sentido!

Craddock teve um sobressalto. Era exatamente o que Letitia Blacklock dissera. O que a mulher do pastor dissera. O que ele mesmo sentia, cada vez com maior intensidade. Não fazia sentido. E, agora, a velhinha simpática de Sir Henry também o dizia, com toda a segurança de que era capaz a sua voz suave.

— Quem sabe, Miss Marple, a senhora nos poderá dizer — e sua voz soava estranhamente agressiva — o que aconteceu, então?

Surpresa, ela se voltou para ele.

— Mas como posso eu saber o que aconteceu? Li o que saiu nos jornais... mas era tão pouco... Posso fazer conjecturas, mas não tenho informações completas.

— George — disse Sir Henry —, seria muito irregular se permitíssemos a Miss Marple ler o relatório das entrevistas feitas por Craddock com o pessoal de Chipping Cleghorn?

— Talvez seja irregular — disse Rydesdale —, mas não foi sendo muito ortodoxo que cheguei aonde estou. Ela pode ler tudo. Estou curioso para ouvir a sua opinião.

Miss Marple estava encabulada.

— Ah, não deem atenção a Sir Henry! Ele exagera tanto quando fala de umas pequenas observações que fiz, por sorte, no passado. Francamente, eu não tenho talento algum (mas não tenho mesmo), a não ser, talvez, um certo conhecimento da natureza humana. Sempre achei que as pessoas têm uma tendência a confiar demais nos outros. E eu sempre tive uma tendência a esperar o pior. Não é muito bonito, eu sei... mas o problema é que geralmente tenho razão.

— Leia isto — disse Rydesdale, jogando-lhe nas mãos as folhas datilografadas. — Não levará muito tempo. Afinal de contas, essas pessoas são do mundo em que a senhora vive... deve conhecer uma porção como elas. Talvez possa descobrir algo que nos tenha escapado. O caso está para ser arquivado, e vale a pena recolher uma opinião não profissional sobre ele, antes de engavetá-lo. E é bom a senhora saber que o próprio Craddock não está muito contente com as investigações. Como a senhora, ele diz que a história toda não faz muito sentido.

Reinou silêncio na sala enquanto Miss Marple lia o relatório; finalmente, ela ergueu os olhos.

— É tudo muito interessante — disse, com um suspiro. — Todas essas coisas diferentes que as pessoas dizem... e pensam. O que elas veem... ou pensam que veem. É tudo tão complexo, porque quase tudo é sem importância, e é muito difícil descobrir se alguma coisa tem realmente importância... como achar uma agulha num palheiro.

Craddock sentiu uma ponta de desapontamento. Por um breve instante, imaginara que Sir Henry poderia ter razão em sua opinião sobre aquela curiosa velhinha. Ela poderia encontrar alguma coisa — afinal, as pessoas mais velhas às vezes são muito observadoras. Por exemplo, ele nunca conseguira ocultar coisa alguma de sua tia-avó Emma, até o dia em que ela revelou que ele sempre fungava quando estava se preparando para contar uma mentira.

Mas a famosa Miss Marple de Sir Henry não conseguira produzir mais do que algumas generalizações banais. Um tanto irritado, ele disse, com certa aspereza na voz:

— O problema é que os fatos são indiscutíveis. Embora os depoimentos possam ser contraditórios em questão de detalhes, todos viram a mesma coisa: um homem mascarado, com um revólver e uma lanterna, abrir a porta e ameaçá-los. Pouco importa se pensam que ele disse "Mãos ao alto" ou "Mãos para cima" ou qualquer outra expressão que, para eles, esteja associada à ideia de um assalto. O que interessa é que eles o viram.

— Mas certamente — disse Miss Marple, suavemente —, na verdade, não poderiam... não poderiam mesmo... ter visto, seja o que for...

Craddock prendeu a respiração. Ela não caíra na armadilha! Não podia negar que a velha era esperta: tudo o que ele dissera fora para testá-la, mas ela estava atenta. Não fazia grande diferença quanto ao que acontecera, mas ela percebera, como ele o fizera, que toda aquela gente que acreditava ter visto um homem mascarado realmente não o vira.

— Se entendi direito — disse Miss Marple, com os olhos brilhando como os de uma criança entretida com seu brinquedo favorito —, não havia luz alguma na saleta de entrada nem na escada, certo?

— Certo — confirmou Craddock.

— Então, se um homem se colocou na porta, jogando uma luz forte nos olhos de quem estava dentro da sala, ninguém poderia ver coisa alguma a não ser o brilho da lanterna, não é mesmo?

— É. Eu experimentei.

— Logo, quando alguns deles disseram ter visto um homem mascarado etc. e tal, na verdade, embora não tenham consciência disso, estavam recapitulando o que viram mais tarde, quando as luzes se acenderam. Portanto, tudo está de acordo com a tese de que Rudi Scherz foi um... um pato, não é como se diz?

Rydesdale a olhou com tanta surpresa que ela enrubesceu mais ainda.

— Não sei se a expressão está certa — murmurou. — Não sou muito entendida em gíria, e essas expressões vivem entrando e saindo de moda. Não é mesmo? Essa eu acho que li numa história do sr. Dashiel Hammett... meu sobrinho Raymond diz que ele é um dos melhores no gênero pesado de histórias policiais.[4] Um pato, pelo que eu entendi, é alguém que leva a culpa por um crime cometido por outro. Esse Rudi Scherz parece ter sido feito sob medida para isso. Não muito inteligente, mas muito ambicioso e extremamente crédulo.

Sorrindo com tolerância, Rydesdale perguntou:

— Por acaso a senhora está sugerindo que alguém o persuadiu a ir lá, disparar um revólver para dentro de uma sala cheia de gente? É difícil de acreditar.

— Para mim, ele pensava que era tudo uma brincadeira — explicou Miss Marple. — Pagaram-lhe para fazer aquilo, naturalmente. Para colocar o anúncio no jornal, para fingir que fazia um reconhecimento do terreno e, então, na noite em questão, bastava ir lá, de máscara e capa preta, abrir a porta brandindo uma lanterna e gritando: "Mãos ao alto!"

— E disparar um revólver?

— Não, não — disse Miss Marple. — Ele nunca teve um revólver.

— Mas todos dizem... — começou Rydesdale, e então se detêve.

— Exatamente — disse Miss Marple. — Ninguém poderia ter visto um revólver, mesmo que ele tivesse um na mão. E não creio que tivesse. Acho que, depois que gritou "Mãos ao alto", alguém veio por trás dele, no escuro, e disparou aqueles dois tiros por cima do seu ombro. Assustado, ele girou nos calcanhares e, ao fazer isso, recebeu no corpo o terceiro tiro. Depois, o outro deixou cair o revólver ao seu lado...

Os três homens a encararam. Sir Henry falou baixinho:

— É uma teoria... e é bem possível...

— Mas quem seria esse sr. X que se esgueirou por trás dele no escuro? — perguntou o chefe de polícia.

---

[4] Dashiel Hammett é considerado um dos primeiros mestres da escola violenta da literatura policial americana. A gíria citada por Miss Marple é, no original, *fall guy*, que corresponde ao pato da linguagem marginal brasileira (N. da T).

Miss Marple tossiu.

— O senhor vai ter de perguntar à sra. Blacklock quem desejaria matá-la.

"Ponto para Dora Bunner", pensou Craddock. Mais uma vitória do instinto sobre a inteligência.

— Acredita, então, que foi uma tentativa deliberada de matar a sra. Blacklock? — perguntou Rydesdale.

— Pelo menos é o que parece — disse Miss Marple. — Embora exista uma ou duas dificuldades. Mas o que eu estava pensando, agora, é se não existiria um atalho. Não há dúvida de que quem quer que tenha combinado aquilo com Rudi Scherz exigiu que ele não abrisse a boca. Talvez ele tenha obedecido. Mas, se falou com alguém, esse alguém certamente terá sido aquela menina, Myrna Harris. E talvez... talvez ele tenha deixado escapar alguma pista sobre a pessoa que teve a ideia da brincadeira.

— Vou falar com ela agora — disse Craddock, levantando-se.

Miss Marple aprovou, com um gesto de cabeça.

— Faça isso, inspetor Craddock. Vou me sentir muito melhor depois que o senhor falar com ela. Porque só depois que ela contar tudo o que sabe estará em segurança.

— Em segurança?... Ah, entendo.

Ele saiu da sala. Não inteiramente convencido, mas procurando ser gentil, o chefe de polícia opinou:

— Muito bem, Miss Marple, sem dúvida a senhora nos deu muito em que pensar.

III

— Estou arrependida, juro que estou — disse Myrna Harris. — E o senhor é muito bonzinho em não ficar zangado. Mas, sabe como é, mamãe se aborrece com qualquer coisa. E fiquei com medo de acharem que eu era... como se diz, uma cúmplice. Quer dizer, os senhores só teriam a minha palavra de que eu estava convencida de que tudo não passava de uma brincadeira.

Ela falava depressa, sem esconder o nervosismo. Craddock repetiu as frases tranquilizadoras com que quebrara a sua resistência.

— Está bem. Vou contar tudo que sei. Mas, se puder, o senhor não me meterá em apuros, está bem? Por causa de mamãe. Primeiro, o Rudi me deu um bolo: nós íamos ao cinema naquela noite, e ele veio me dizer que não podia ir, e eu fiquei uma fera; afinal de contas, tinha sido ideia dele mesmo, e eu não gosto de levar bolos, ainda mais de estrangeiros. Ele disse que não era sua culpa, e eu disse que com certeza não era, e então ele acabou dizendo que tinha um trabalhinho para fazer naquela noite e que ia ganhar um bom dinheiro, e será que eu não gostaria de ganhar um relógio de pulso? E eu disse: "Que história é essa de trabalhinho?" Ele disse para não contar para ninguém, mas ia haver uma festa num lugar qualquer e ele ia fingir um assalto. Mostrou o anúncio que tinha posto no jornal, e eu tive de rir. Ele estava achando tudo aquilo muito ridículo, disse que era coisa de criança, mas que os ingleses são assim mesmo: que nunca deixam de ser crianças. Naturalmente, eu respondi que ele não tinha direito de falar assim de nós... e aí nós discutimos um pouco, mas acabamos fazendo as pazes. O senhor compreende, não é, que quando li a história toda no jornal e vi que não era brincadeira nenhuma, e que o Rudi tinha atirado em alguém e depois se suicidado, bom, eu não sabia o que fazer. Pensei que, se eu dissesse que sabia de tudo antes, ia parecer que estava metida na história toda. Mas é que, quando ele me contou, parecia mesmo uma brincadeira. Eu teria jurado que ele também pensava que não era para valer. Nem sabia que ele tinha um revólver. Nunca falou nada sobre levar um revólver.

Craddock procurou acalmá-la, antes de fazer a pergunta mais importante:

— Quem foi que ele disse que tinha preparado a tal brincadeira?

E não conseguiu coisa alguma.

— Ele não disse: Acho que ninguém. Era tudo ideia dele mesmo.

— Ele não mencionou nome algum? Falou em ele... ou ela, por exemplo?

— Não disse nada, a não ser que ia ser gozadíssimo. "Vou morrer de rir com as caras que eles vão fazer." Foi o que ele disse.

"E morreu mesmo", pensou Craddock.

IV

— É apenas uma teoria — disse Rydesdale, quando voltavam para Medenham. — Não tem nada que a apoie, na verdade. Digamos que a velha tem uma boa dose de imaginação e pronto, está bem?

— Eu preferia fazer o contrário, senhor.

— Mas é tudo muito improvável. Um misterioso X que aparece subitamente na escuridão, por trás do nosso jovem amigo suíço. Quem era? De onde saiu?

— Poderia ter entrado pela porta lateral — disse Craddock —, exatamente como Scherz o fez. Ou — acrescentou, hesitante — ele poderia ter vindo da cozinha.

— Ela poderia ter vindo da cozinha, é o que você quer dizer?

— Sim, senhor, é uma possibilidade. Desconfio daquela mulher desde o começo. Ela não me parece ser boa coisa. Todos aqueles gritos e ataques histéricos, pode ser tudo fingimento. Ela poderia ter combinado tudo com ele, fazê-lo entrar no momento adequado, preparar tudo e depois atirar nele, trancar-se na sala de jantar, apanhar a prataria e a flanela e abrir o berreiro.

— Contra isso, temos o fato de que... como é o nome dele... ah, sim, Edmund Swettenham afirma categoricamente que a porta estava trancada por fora e que teve de girar a chave para soltar a mulher. Alguma outra porta naquele cômodo da casa?

— Há uma porta que dá para a escada dos fundos e a cozinha, sob a escada principal, mas parece que o seu trinco caiu há mais de uma semana e ninguém se deu ao trabalho de providenciar o conserto. Por isso, a porta não abre. E parece que isso é verdade. Eu vi os dois trincos e o eixo numa prateleira na saleta, e estavam cobertos de poeira. Por outro lado, é claro que um profissional poderia ter dado um jeito de abrir aquela porta.

— Vale a pena ver se a moça tem ficha policial. Verifique os documentos dela. Mas essa versão já está me parecendo hipotética demais.

Mais uma vez o chefe de polícia olhou para o seu subordinado, esperando uma reação. Craddock respondeu, em voz pausada:

— Eu sei, senhor, e, naturalmente, se o senhor pensa que é melhor arquivar o caso, então vamos arquivá-lo. Mas eu gostaria de trabalhar mais um pouco nele.

Para surpresa sua, o chefe de polícia respondeu com aprovação:

— Eu não esperava outra coisa!

— Podemos trabalhar na questão do revólver. Se a teoria está certa, ele não pertencia a Scherz, e, certamente, até agora ninguém pôde provar que ele possuía um.

— É de fabricação alemã.

— Eu sei, senhor. Mas o país está cheio de modelos europeus de armas. Os americanos (e os nossos rapazes também) retornaram com toneladas de "recordações" da guerra.

— É verdade. Algum outro caminho?

— É preciso haver um motivo. Se a teoria tem algum fundo de verdade, por menor que seja, o que aconteceu sexta-feira não foi nem uma brincadeira nem um assalto comum, mas uma tentativa de assassinato a sangue-frio. Alguém tentou matar a sra. Blacklock. Mas por quê? Acho que, se alguém sabe a resposta, deve ser a própria sra. Blacklock.

— Pelo que me lembro, ela mesma se encarregou de jogar água fria nessa hipótese.

— Ela jogou água fria na hipótese de que Rudi Scherz poderia querer matá-la. E tinha razão. E há outra coisa ainda, senhor.

— O quê?

— Alguém poderia tentar novamente.

— Isso bastaria para provar que a teoria é verdadeira — disse, secamente, o chefe de polícia. — Por falar nisso, tome conta de Miss Marple, está bem?

— Miss Marple? Por quê?

— Soube que vai se instalar na casa paroquial de Chipping Cleghorn e virá a Medenham Wells duas vezes por semana para os tratamentos do reumatismo. Parece que uma tal sra. Não-sei-quê é filha de uma antiga amiga sua. Tem bons instintos, a velhinha. Imagino que tenha levado uma vida tranquila demais e hoje se distraia farejando suspeitos de homicídio...

— Gostaria que ela não aparecesse por lá — disse Craddock, sério.

— Tem medo de que o atrapalhe?

— Não é isso, senhor, mas simpatizei com ela. Não gostaria de que corresse risco algum... desde, é claro, que a sua teoria tenha algum fundo de verdade.

Capítulo 9
A propósito de uma porta

I

— Lamento incomodá-la mais uma vez, sra. Blacklock...

— Ora, não tem importância. Já soube que o inquérito foi adiado por mais uma semana; imagino que o senhor esteja em busca de mais evidências, não?

O inspetor Craddock concordou.

— Para começar, sra. Blacklock, Rudi Scherz não era filho do proprietário do Hotel des Alpes, em Montreux. Parece que começou sua carreira como servente num hospital de Berna. E muitos pacientes deram pela falta de pequenos objetos de valor. Com outro nome, foi garçom num hotel de esportes de inverno. Lá, a sua especialidade era fazer contas em duplicata no restaurante, com alguns itens de diferença de uma para outra... e ele embolsava a diferença, naturalmente. Depois, esteve numa grande loja de Zurique, a qual, durante sua estada, sofreu um considerável acréscimo nos seus prejuízos normais por furto, e parece que não eram fregueses os culpados.

— Tratava-se, então, de um especialista em pequenos golpes? — comentou a sra. Blacklock secamente. — Eu tinha razão em pensar que nunca o vira antes?

— Exatamente; na certa alguém lhe mostrou a senhora no Royal Spa, e ele fingiu reconhecê-la. A polícia suíça estava em seu encalço, e ele veio para cá com documentos forjados, que lhe valeram o emprego no Royal Spa.

— Um lugar ideal para ele — observou a sra. Blacklock. — É muito caro, e as pessoas que ficam lá são bastante ricas. A maioria não deve prestar muita atenção às contas que paga.

— Isso mesmo — confirmou Craddock. — Para ele, as perspectivas de uma boa colheita eram excelentes.

A sra. Blacklock franziu a testa, pensativa.

— Tudo isso está muito claro — disse. — Mas, então, por que vir a Chipping Cleghorn? O que haveria aqui que seria, para ele, melhor do que o que poderia encontrar no hotel?

— A senhora continua a sustentar que não existia coisa alguma de muito valor na casa?

— Claro que não. Eu sei. Posso lhe garantir, inspetor, não estamos escondendo nenhum Rembrandt desconhecido nem nada do gênero.

— Então, parece que a sua amiga, sra. Bunner, tinha razão, não? Ele veio para tentar matar a senhora.

— Está vendo, Letty? O que foi que eu disse?

— Ah, Bunny, que bobagem!

— Será bobagem mesmo? — disse Craddock. — Sabe, eu acho que é verdade.

A sra. Blacklock o encarou com firmeza.

— Olhe aqui, vamos esclarecer isso. O senhor realmente acredita que esse rapaz veio à minha casa, depois de ter colocado aquele anúncio para que metade da cidade se reunisse na minha sala de visitas...

— Mas pode ser que ele não quisesse que isso acontecesse — interrompeu a sra. Bunner. — Pode ter sido apenas um aviso sinistro... só para você, Letty... foi o que eu pensei quando li... "Convida-se para um homicídio"... Eu senti logo que era alguma coisa horrível... e, se tudo acontecesse como ele queria, teria matado você e fugido... e quem é que ia saber que tinha sido ele?

— É verdade — disse a sra. Blacklock. — Mas...

— Eu sabia que aquele anúncio não era uma brincadeira, Letty. Eu disse que não era. E a Mitzi... ela também ficou assustada!

— Ah — disse Craddock. — Mitzi. Gostaria de saber mais algumas coisas sobre essa moça.

— Os seus documentos e licença de trabalho estão em ordem.

— Não duvido — comentou Craddock, com certa rispidez. — Os de Scherz também pareciam estar.

— Mas por que Rudi Scherz ia querer me matar? Não há explicação para isso, inspetor.

— Pode haver alguém por trás dele — respondeu Craddock, medindo suas palavras. — Já pensou nessa hipótese?

Usara a expressão como uma metáfora, mas no mesmo momento ocorreu-lhe que, se a teoria de Miss Marple estivesse certa, aquelas palavras estariam certas também literalmente. De qualquer maneira, pequena impressão causaram na sra. Blacklock, que ainda mostrava ceticismo.

— Continuo sem entender — disse ela. — Por que alguém havia de querer me matar?

— É a senhora quem deve responder a essa pergunta, sra. Blacklock.

— Mas eu não sei de ninguém! Tenho certeza disso. Não tenho inimigos. Tanto quanto saiba, sempre vivi em paz com meus vizinhos. Não conheço segredos tenebrosos de ninguém. É uma hipótese ridícula! E, se o senhor está insinuando que Mitzi tem alguma coisa a ver com o caso, é outra ideia absurda. Como a sra. Bunner acaba de dizer, ela ficou apavorada quando viu o anúncio na *Gazette*. Queria mesmo fazer as malas e ir embora imediatamente.

— Pode ter sido uma manobra inteligente de sua parte. Ela teria certeza de que a senhora insistiria para que ficasse.

— É claro que, se o senhor já formou a sua opinião, sempre terá uma resposta para tudo. Mas posso lhe garantir que, se Mitzi ficasse com raiva de mim, por um motivo idiota qualquer, pode ser que envenenasse a minha comida, mas jamais arquitetaria um plano tão complicado quanto esse. É um absurdo completo. Fico pensando se a nossa polícia não terá um preconceito contra estrangeiros. Mitzi pode ser mentirosa, mas não é uma assassina a sangue-frio. O senhor pode seguir em frente e pressioná-la, se quiser. Mas, quando ela sair indignada por aquela porta ou se trancar no quarto, aos uivos, vou ter muita vontade de obrigar o senhor a fazer o jantar. A sra. Harmon vem tomar chá aqui, nesta tarde, com uma senhora que está hospedada em sua casa, e eu gostaria que Mitzi fizesse alguns bolinhos... mas já estou vendo que o senhor vai transtorná-la completamente. Não seria possível suspeitar de alguma outra pessoa?

II

Craddock foi à cozinha; fez a Mitzi as mesmas perguntas que já fizera antes e recebeu as mesmas respostas.

Sim, ela trancara a porta da frente pouco depois das quatro horas. Não, não costumava fazer isso, mas naquela tarde estava nervosa por causa daquele "horrível anúncio". Não valia a pena trancar a porta lateral, porque as senhoras Blacklock e Bunner a usavam para ir guardar os patos e dar de comer às galinhas, e a sra. Haymes geralmente entrava por ali quando chegava do trabalho.

— A sra. Haymes diz que trancou a porta quando entrou, às 17h30.

— Ah, o senhor acredita nela... natural, nela senhor acreditar...

— E por que não? Acha que não deveria?

— Que importa o que eu acho? O senhor não acredita em mim.

— Vamos tentar. Acha que a sra. Haymes não trancou aquela porta?

— Ela tomou cuidado para não trancar porta, isso sim.

— Que quer dizer com isso? — perguntou Craddock.

— Aquele rapaz, ele não fez as coisas sozinho. Não, ele sabe muito bem aonde ir, sabe muito direito quando abrir porta que deixaram aberta para ele... ah, ah, tudo exato como ele queria!

— Que está querendo dizer? — insistiu Craddock.

— Mas que adianta eu falar? O senhor não ouve. Diz que eu sou pobre moça refugiada de guerra e que conto mentiras. Que loura senhora inglesa não diz mentiras... ora, claro que não, ela é tão britânica, tão... tão honesta. Por isso vai acreditar nela, nunca em mim. Ah, mas eu posso contar coisas, ora se posso!

E Mitzi bateu estrepitosamente com uma frigideira no fogão.

Craddock estava em dúvida, sem saber se dava ou não atenção ao que bem poderia ser apenas um forte acesso de inveja.

— Eu presto atenção a tudo o que me dizem — afirmou.

— Mas eu não conto nada. Sabe por quê? Os senhores são todos iguais. Vivem desprezando, perseguindo, os pobres refugiados. Se eu contar que, na semana passada, quando aquele moço veio pedir dinheiro para sra. Blacklock e ela mandou passear... se eu disser que depois eu o ouvi conversando com sra. Haymes no quiosque, ali mesmo, o senhor vai dizer que é invenção minha e pronto!

"E deve mesmo ser invenção", pensou Craddock, mas, em voz alta, disse:

— Você não teria como ouvir o que se dizia no pavilhão.

— Ah, senhor se engana! — exclamou Mitzi, triunfante. — Eu fui apanhar umas urtigas... urtiga é bom para cozinhar; eles não acham, mas eu cozinho e não digo nada, todo mundo come. Eu ouvi os dois conversando lá dentro. Ele disse para ela: "Mas onde é que eu me escondo?" E ela disse: "Eu lhe mostro...", e depois ela disse: "Às 18h15", e eu penso: "*Ach!* É assim que você se comporta, minha senhora! Quando voltar do trabalho, tem encontro com homem, e vai levar homem para dentro de casa." Eu desconfio que sra. Blacklock não vai gostar muito. Vai botar linda senhora na rua. "Vou ver tudo", eu penso comigo mesma; "ouvir tudo, depois contar para sra. Blacklock". Mas agora eu sei que estava enganada. Ela não estava combinando nada de amor com ele... era tudo para roubar, para matar. Mas senhor vai dizer que eu inventei tudo. Mitzi malvada, senhor vai dizer, vai levar Mitzi para prisão.

Craddock estava em dúvida. Ela poderia estar inventando, mas havia a possibilidade de que não estivesse. Cautelosamente, perguntou:

— Tem certeza de que era com Rudi Scherz que ela estava falando?

— Claro que sim! Ele tinha acabado de sair, e eu vi quando foi direto da casa para quiosque no jardim. E logo depois — acrescentou ela, em tom de desafio — eu fui ver se achava urtigas verdinhas e fresquinhas.

"Existiriam", pensou o inspetor, "urtigas frescas em outubro?" Mas ele compreendia que Mitzi se sentisse obrigada a apresentar uma desculpa para encobrir o que não passava de pura e simples bisbilhotice.

— Você não ouviu nada além do que me contou?

Mitzi respondeu com indignação:

— Aquela sra. Bunner, a nariguda, começou a gritar, me chamando. "Mitzi! Mitzi!" Eu fui. Ah, ela me irrita. Fica o tempo todo se metendo. Dizendo que ensinar Mitzi a cozinhar. Do jeito dela! Mas tudo o que ela faz fica com gosto de água, água, água!

— Por que não contou tudo no outro dia? — perguntou Craddock, com severidade.

— Porque não lembrei... eu não pensei... só depois eu disse para mim mesma, que eles combinaram tudo naquela hora... ele e ela.

— Tem certeza absoluta de que era a sra. Haymes?

— Ah, certeza absoluta! Claro que sim. Ela é ladrona, aquela sra. Haymes. Ladrona e parceira de ladrões. O que ela ganha para trabalhar no jardim não basta para uma madame fina como ela, não, senhor! Ela ainda precisa roubar sra. Blacklock, tão boa para ela. Ah, aquela mulher é muito ruim, muito ruim mesmo!

— Digamos — sugeriu o inspetor, encarando-a cuidadosamente — que alguém afirme que você foi vista conversando com Rudi Scherz.

A insinuação teve menor efeito do que ele esperava. Mitzi se limitou a fungar e sacudir a cabeça.

— Se alguém diz que viu Mitzi falando com ele, isso é mentira, mentira, mentira — disse, com desprezo. — Muito fácil dizer mentiras contra alguém, mas aqui na Inglaterra precisa de provas, não? Sra. Blacklock me ensinou isso, e é verdade, não? Eu não converso com ladrões e assassinos. E nenhum policial inglês poder dizer que eu converso. E como eu preparo almoço, se senhor ficar aqui falando, falando, falando o tempo todo? Fora da minha cozinha, por favor, que eu quero preparar molho muito complicado.

Atravessando a saleta de entrada, ele tentou abrir a porta errada. A sra. Bunner, que descia a escada, apressou-se a lhe ensinar.

— Não é essa porta — disse ela. — Essa não abre. É a porta seguinte, à esquerda. São tantas portas, é fácil a gente se confundir.

— São muitas mesmo — disse Craddock, olhando em volta.

Prestativa, a sra. Bunner as enumerou para ele:

— Primeiro, a porta da salinha, depois a do armário e a da sala de jantar... todas nesse lado. No lado de cá, a porta falsa que o senhor estava tentando abrir, a porta da sala de estar, a do armário de louças e a do estúdio. No fundo, a porta de entrada lateral. Dá para confundir mesmo. Especialmente essas duas, uma ao lado da outra. Mais de uma vez já tentei abrir a porta errada. Costumava haver uma mesinha encostada nela, mas nós a colocamos mais adiante, junto da parede.

Craddock notara, quase sem querer, que havia uma estreita linha horizontal atravessando a porta que ele tentara abrir. Compreendeu, então, tratar-se da marca deixada pela mesinha. Alguma coisa se agitou em seu cérebro, fazendo-o perguntar:

— Quando a colocaram ali?

A vantagem de interrogar Dora Bunner era a completa falta de necessidade de justificar as perguntas. Qualquer pergunta, sobre qualquer assunto, era recebida pela tagarela sra. Bunner com a maior naturalidade; ela adorava dar informações, por mais banais que fossem.

— Ah, deixe-me ver, foi há pouco tempo mesmo... há dez ou 15 dias.

— E por que a mudaram de lugar?

— Francamente, não me lembro. Alguma coisa ligada às flores. Acho que foi Phillipa quem fez um enorme arranjo de flores (ela faz isso muito bem), com todas as cores do outono, com galhos e folhas misturadas; era tão grande que as pessoas viviam esbarrando nele, por isso Phillipa disse que seria melhor arrastar um pouco a mesa e que, de todo modo, as flores ficariam melhor contra a parede do que encostadas no painel da porta. Só foi preciso tirar da parede o *Wellington em Waterloo*. Não que seja uma das minhas gravuras favoritas. Foi parar embaixo da escada.

— Na verdade, não é realmente uma porta falsa, é? — perguntou Craddock, examinando-a.

— Ah, não, é uma porta verdadeira, se é isso que o senhor quer saber. É a porta da outra ponta da sala de estar, do tempo em que eram duas salas separadas; quando se juntaram as duas salas, abrindo aquele arco, bastava apenas uma porta, e esta foi selada.

— Selada? — Craddock experimentou a porta, sem forçá-la. — Mas parece que não a pregaram. Está apenas fechada.

— Está trancada, eu acho. E o ferrolho também foi passado.

Ele viu o ferrolho, na parte superior da porta, e o experimentou. A lingueta correu fácil... fácil demais.

— Quando ela foi aberta pela última vez? — perguntou à sra. Bunner.

— Ah, há anos e anos, imagino. Pelo menos, nunca foi aberta desde que vim morar aqui.

— A senhora sabe onde está a chave?

— Há uma porção de chaves numa gaveta por aqui. Deve ser uma delas.

Craddock a seguiu e examinou um molho de velhas chaves enferrujadas, que estava no fundo de uma gaveta. Examinou-as e selecionou uma, que parecia diferente das demais, e a levou para a porta. A chave servia e girou com facilidade.

Ele empurrou, e a porta se abriu silenciosamente.

— Olhe, tenha cuidado — exclamou a sra. Bunner. — Pode haver alguma coisa encostada do outro lado. Nós nunca a abrimos.

— Não? — perguntou o inspetor.

Seu rosto estava carrancudo quando ele disse, enfaticamente:

— Esta porta foi aberta muito recentemente, sra. Bunner. Tanto a fechadura quanto as dobradiças foram lubrificadas.

Ela o encarou, de olhos arregalados.

— Quem iria fazer uma coisa dessas? — perguntou.

— É o que vou descobrir — disse Craddock, energicamente. E pensou: "O sr. X, um estranho? Não... X estava aqui... nesta casa... estava na sala de estar, naquela noite..."

Capítulo 10
Pip e Emma

I

Desta vez, a sra. Blacklock ouviu com maior interesse o que ele tinha a dizer. Era uma mulher inteligente — ele já o percebera — e não lhe escapou a importância das revelações do policial.

— Realmente — disse ela —, isso muda tudo... Ninguém tinha direito de mexer naquela porta. Com o meu conhecimento, ninguém mexeu nela.

— Mas a senhora sabe o que isso quer dizer — insistiu o inspetor. — Quando as luzes se apagaram, naquela noite, qualquer pessoa que estivesse nesta sala poderia ter saído por aquela porta, vir por trás de Rudi Scherz e atirar na senhora.

— Sem que alguém visse, ouvisse ou percebesse?

— Sem que alguém visse, ouvisse ou percebesse. Lembre-se de que, quando as luzes se apagaram, todos se movimentaram de um lado para outro, falando e esbarrando uns nos outros. E, depois, tudo o que podiam ver era a luz ofuscante da lanterna.

Pausadamente, a sra. Blacklock replicou:

— E o senhor acredita que uma daquelas pessoas, essa gente boa e comum que são os meus vizinhos, esgueirou-se para fora e tentou me assassinar? A mim? Mas por quê? Pelo amor de Deus, por quê?

— Tenho a impressão de que a senhora deve saber a resposta a essa pergunta, sra. Blacklock.

— Mas não sei. Garanto-lhe, inspetor, que não sei.

— Bem, vamos tentar descobrir. Quem fica com o seu dinheiro, se a senhora morrer?

— Patrick e Julia — disse a sra. Blacklock, com certa relutância.

— Deixei também os móveis desta casa e uma pequena renda anual para Bunny. Realmente, não é muito. Eu tinha muita coisa em títulos alemães e italianos, que perderam todo o valor; além disso, com os impostos e pequenos dividendos que estão sendo pagos hoje em dia, posso lhe garantir que minha morte não valeria grande coisa. Há cerca de um ano, prendi quase todo o meu dinheiro numa renda anual.

— Seja como for, a senhora tem alguma renda, e seus sobrinhos são os herdeiros.

— E, por isso, Patrick e Julia planejariam matar-me? Simplesmente não acredito. Não estão desesperados por causa de dívidas nem nada parecido.

— Tem certeza disso?

— Não, sei apenas o que eles me contam... Mas, francamente, recuso-me a suspeitar deles. Algum dia, pode ser que valha a pena me matar, mas não agora.

— O que quer dizer com essa história de "algum dia", sra. Blacklock? — perguntou o policial, totalmente alerta.

— Apenas que algum dia... talvez em breve... eu poderei ser uma mulher muito rica.

— Isso me interessa. Explique, por favor.

— Pois não. Talvez não saiba, mas, por mais de vinte anos, fui secretária e colaboradora pessoal de Randall Goedler.

Craddock estava cada vez mais interessado. Randall Goedler fora um figurão no mundo das finanças. Suas especulações audaciosas e a aura de publicidade melodramática que sempre o cercara fizeram dele uma personalidade difícil de ser esquecida. Morrera, se Craddock não se enganava, em 1937 ou 1938.

— É antes do seu tempo, acho eu — disse a sra. Blacklock. — Mas com certeza ouviu falar em seu nome.

— Ah, naturalmente. Era um milionário, não?

— Muitas vezes milionário, embora sua riqueza flutuasse muito. Sempre arriscava quase tudo o que tinha em uma nova jogada.

Ela falava com entusiasmo; seus olhos brilhavam com a recordação.

— De todo o modo, ele morreu muito rico. Não tinha filhos. Deixou a fortuna em usufruto para a esposa enquanto vivesse e, depois, tudo para mim.

A vaga lembrança de uma manchete ecoou no cérebro do inspetor:

"IMENSA FORTUNA DEIXADA PARA FIEL SECRETÁRIA"... ou coisa parecida.

— Nos últimos 12 anos — disse a sra. Blacklock, com certa malícia —, eu tive excelentes razões para assassinar a sra. Goedler... mas isso não o ajuda muito, não é mesmo?

— Por acaso... desculpe-me por perguntar... por acaso a sra. Goedler não gostou da decisão do marido?

A sra. Blacklock achou graça na pergunta.

— Não precisa ser tão discreto. O que o senhor quer realmente saber é se fui amante de Randall Goedler. Não, não fui. Não creio que Randall tenha jamais pensado em mim dessa forma; e eu, certamente, nunca senti esse tipo de atração por ele. Era apaixonado por Belle, a esposa, e morreu assim. Tenho certeza de que a gratidão foi o motivo que o levou a fazer aquele testamento. Sabe, inspetor, nos primeiros tempos, quando Randall estava começando, esteve à beira do desastre total. Era uma questão de algumas mil libras em dinheiro sonante, embora a jogada fosse enorme e emocionante, audaciosa como tudo o que ele fazia. E ele não tinha o dinheiro necessário. Eu o socorri; tinha algumas economias e acreditava em Randall. Vendi tudo o que tinha e lhe dei o dinheiro. Foi o bastante. Uma semana depois, ele era um homem imensamente rico.

"Depois disso, ele sempre me tratou como uma espécie de sócia. Ah, foi uma época emocionante. — A sra. Blacklock suspirou.

— Eu me diverti muito. Depois, meu pai morreu, minha única irmã estava doente. Tive de largar tudo para cuidar dela. Randall morreu uns dois anos mais tarde. Eu ganhara muito dinheiro enquanto trabalhávamos juntos, com franqueza, não esperava que me deixasse coisa alguma, mas fiquei comovida, realmente, e orgulhosa, quando soube que, se Belle morresse antes de mim (e ela sempre foi uma dessas criaturas delicadas que todos pensam que não vão durar muito), eu herdaria toda a sua fortuna. É possível que ele não soubesse o que fazer com o dinheiro. Belle é um amor de pessoa e ficou contentíssima com a solução; ela é mesmo muito boa. Vive na Escócia. Não a tenho visto há anos... só trocamos cartas no Natal. O senhor sabe, levei minha irmã para um sanatório suíço pouco antes da guerra. Ela morreu lá, tísica."

Depois de ficar em silêncio por um momento, ela acrescentou:

— Só voltei para a Inglaterra há pouco mais de um ano.

— A senhora disse que poderia se tornar uma mulher muito rica em breve... dentro de quanto tempo?

— Soube, pela enfermeira que cuida dela, que Belle está caindo muito depressa. Pode ser... talvez, uma questão de semanas. O dinheiro não representará muito para mim — ela acrescentou, com tristeza na voz. — Tenho o bastante para o que preciso. Antigamente, teria gostado de jogar mais uma vez na bolsa, mas, hoje... Ah, a gente vai ficando velha. Seja como for, inspetor, creio que o senhor compreendeu que, se Patrick e Julia quisessem me matar por motivos financeiros, seriam loucos em não esperar mais algum tempo.

— Entendo, sra. Blacklock, mas o que aconteceria se a senhora morresse antes da sra. Goedler? Para quem iria o dinheiro?

— Para falar a verdade, nunca pensei nisso. Para Pip e Emma, acho eu...

Craddock arregalou os olhos, e a sra. Blacklock sorriu.

— Parece esquisito? Acontece que, se eu morrer antes de Belle, o dinheiro deve ir para a progênie legal (não é assim que se diz?) da única irmã de Randall, Sonia. Randall tinha brigado com a irmã, que se casou com um sujeito que ele considerava um vigarista... ou pior.

— Era mesmo um vigarista?

— Ah, sem dúvida. Mas tenho a impressão de que também fazia muito sucesso com as mulheres; era grego, ou romeno, ou coisa parecida... Como se chamava mesmo?... Stamfordis, Dmitri Stamfordis.

— Randall Goedler retirou a irmã do testamento quando ela se casou com esse sujeito?

— Ah, Sonia já era uma mulher rica. Randall sempre fez investimentos para ela. Quando possível, dava um jeito para que o marido não pudesse tocar no dinheiro. Mas creio que, quando os advogados aconselharam que previsse a hipótese de que eu morresse antes de Belle, ele escolheu, com certa relutância, os filhos de Sonia... apenas porque não lhe ocorreu outra coisa e porque ele não era homem de deixar seus bens para obras de caridade.

— E havia filhos?

— Pois é isso: são Pip e Emma[5] — Riu. — Eu sei que soa meio ridículo. Mas tudo o que sei é que Sonia escreveu para Belle, depois do casamento, pedindo que dissesse a Randall que estava muito feliz, que tivera gêmeos e que os chamava de Pip e Emma. Que eu saiba, nunca escreveu novamente. Mas é claro que Belle poderá lhe contar mais detalhes.

A sra. Blacklock achava a história toda um tanto divertida; o inspetor, não muito.

— O problema é o seguinte — resumiu ele. — Se a senhora tivesse sido morta na outra noite, pelo menos duas pessoas receberiam uma fortuna imensa. Está enganada, sra. Blacklock, quando diz que ninguém teria motivo para desejar a sua morte. Existem duas pessoas, no mínimo, com motivos bastante ponderáveis. Que idade teria agora esse casal de gêmeos?

A sra. Blacklock franziu a testa.

— Deixe-me ver... 1922... não, é difícil lembrar... Imagino que estariam com 25 ou 26. — Ela estava séria agora. — Mas, com certeza, o senhor não acredita...

— Acredito que alguém disparou um revólver com a intenção de matá-la. Acredito que é possível que a mesma pessoa tente novamente. Gostaria, por favor, que tivesse bastante cuidado, sra.

---

[5] Pip e Emma são apelidos gaiatos frequentes na literatura infantil inglesa. (N. da T.).

Blacklock. Um homicídio já foi planejado e não deu certo. Creio que uma segunda tentativa está sendo preparada agora mesmo.

II

Phillipa Haymes se aprumou e afastou da testa úmida uma mecha rebelde. Estava limpando um canteiro.

— Pois não, inspetor?

Olhou-o com curiosidade. Ele a examinou com atenção bem maior do que fizera anteriormente. De fato uma moça bonita, um tipo bem inglês, com seu cabelo muito louro, o rosto alongado. Um queixo e uma boca marcados pela obstinação. O conjunto dava a impressão de que nela havia algo reprimido, algo de tenso. Os olhos eram azuis, firmes, inescrutáveis. O tipo de moça capaz de guardar a sete chaves um segredo.

— Desculpe por procurá-la sempre quando está trabalhando, sra. Haymes — disse ele —, mas não quis esperar até a hora do almoço. Além disso, achei que seria mais fácil conversarmos aqui, e não em Little Paddocks.

— O que é, inspetor?

Não havia emoção em sua voz; e muito pouco interesse. Mas não haveria um leve indício de cautela... ou seria imaginação sua?

— É a propósito de uma certa declaração que ouvi nesta manhã. Uma declaração a seu respeito.

Phillipa ergueu, levemente, as sobrancelhas.

— A senhora me disse que aquele homem, Rudi Scherz, era-lhe inteiramente desconhecido?

— Disse.

— Que, quando o viu, morto no chão, fora a primeira vez que lhe pusera os olhos em cima, certo?

— Claro. Nunca o vira antes.

— Por acaso não teve uma conversa com ele, no quiosque do jardim de Little Paddocks?

— No quiosque?

Ele teve quase certeza de ter percebido um toque de medo em sua voz.

— Lá mesmo, sra. Haymes.

— Quem disse isso?

— Disseram-me que a senhora teve uma conversa com Rudi Scherz, na qual ele lhe perguntara onde poderia esconder-se, e a senhora respondera que lhe mostraria um lugar; um certo horário, 18h15, foi mencionado na conversa. E deve ter sido mais ou menos a essa hora que Scherz chegou a estas redondezas, vindo do ponto de ônibus, na noite do assalto.

Houve um momento de silêncio. Depois, Phillipa deu uma risada curta, de desprezo. Seu ar era o de quem se divertia com tudo aquilo.

— Não sei quem lhe disse isso. Mas posso fazer uma ideia. É uma história tola e malfeita. Inveja, é claro. Não sei bem por quê, mas Mitzi me detesta mais do que os outros.

— A senhora desmente o que ela disse?

— Claro que desminto... Nunca vi Rudi Scherz na minha vida e nem cheguei perto de casa naquela manhã. Estava aqui, trabalhando.

— Em qual manhã? — perguntou Craddock, suavemente.

Houve uma momentânea pausa. Os olhos da jovem brilharam.

— Todas as manhãs. Eu passo todas as manhãs aqui. Nunca saio antes de uma hora.

Com sarcasmo, ela concluiu:

— Não adianta dar atenção a Mitzi. Ela mente o tempo todo.

III

— É um problema — comentou Craddock, enquanto se afastava com o sargento Fletcher. — Duas mulheres cujas histórias se contradizem frontalmente. Em qual vamos acreditar?

— Parece que todo mundo concorda que essa moça estrangeira é uma mentirosa de marca maior — disse Fletcher. — Pela minha experiência com estrangeiros, eles mentem com a maior tranquilidade. E acho óbvio que ela tem raiva da sra. Haymes.

— Então, se você estivesse no meu lugar, acreditaria na sra. Haymes?

— A não ser que o senhor tenha outros motivos...

E Craddock não os tinha, não concretamente — exceto por um par de olhos azuis muito firmes, firmes demais, e a maneira pela qual ela dissera as palavras "naquela manhã". Por mais que se esforçasse, Craddock não se lembrava de ter dito que o encontro no pavilhão se realizara de manhã ou à tarde.

Por outro lado, a sra. Blacklock — e, se ela não o fizesse, certamente a sra. Bunner o teria feito — poderia ter falado da visita de um jovem estrangeiro, que viera pedir dinheiro para uma passagem para a Suíça. E Phillipa Haymes, sabendo disso, poderia ter chegado naturalmente à conclusão de que a conversa teria ocorrido naquela mesma manhã.

Mas, ainda assim, ele tinha a impressão de ter percebido um toque de medo na voz de Phillipa, quando ela perguntara: "No quiosque?"

Decidiu não tirar qualquer conclusão sobre o episódio, por enquanto.

IV

Era agradável ficar no jardim da casa do pastor. Um daqueles veranicos de outono caíra sobre a Inglaterra. O inspetor Craddock nunca conseguia se lembrar se chamavam a isso verão de São Martinho ou de São Lucas, mas isso pouco importava — o ar ficava realmente mais agradável. E também um tanto exasperante. Estava sentado numa cadeira de lona oferecida pela prestativa Bunch, que saíra para uma reunião de mães na escola local. Bem protegida por diversos xales e mais um cobertor sobre os joelhos, Miss Marple tricotava ao seu lado. O sol, a paz, o ruído ritmado das agulhas de tricô de Miss Marple, tudo se combinava para quase levá-lo a adormecer. No entanto, ao mesmo tempo, ele sentia a presença, um recanto escondido do cérebro, de um mau pressentimento. Era como um sonho já conhecido, no qual uma ameaça oculta sob uma superfície pacífica aos poucos transforma a tranquilidade em puro terror...

Abruptamente, ele disse:

— A senhora não deveria estar aqui.

As agulhas pararam de girar por um instante. Os olhos plácidos e límpidos de Miss Marple fixaram-se nele, pensativos.

— Eu sei o que o senhor quer dizer — disse ela. — É um rapaz muito sensato. Mas não há problema algum. O pai de Bunch (foi o pastor de nossa paróquia, um homem muito erudito) e a sua mãe (uma mulher realmente impressionante, de muita força espiritual) são velhos amigos meus. É a coisa mais natural do mundo que eu, estando em Medenham, venha passar uns dias com ela.

— Pode ser — concordou Craddock. — Mas... não ande bisbilhotando por aí. Tenho um pressentimento... é verdade, tenho mesmo... de que seria muito arriscado.

Miss Marple esboçou um sorriso.

— O problema — disse ela — é que todas as mulheres de idade são bisbilhoteiras. Teria sido muito esquisito, e mais fácil de provocar suspeitas, se eu não metesse um pouco o nariz onde não sou chamada. Perguntas sobre amigos mútuos em outros países, e se a pessoa se lembra de fulano e de beltrano, e quem foi mesmo que se casou com a filha de Lady Qualquer-Coisa? E tudo isso ajuda, não?

— Ajuda? — perguntou o inspetor, sentindo-se não muito inteligente.

— Sim, ajuda a descobrir se as pessoas são o que dizem que são — explicou Miss Marple. E continuou: — Não é isso o que o preocupa? Na verdade, é uma das coisas mais estranhas que aconteceram por causa da guerra. Por exemplo: este lugar, Chipping Cleghorn, é muito parecido com St. Mary Mead, onde eu moro. Há 15 anos, a gente sabia quem era todo mundo. Os Bantry, na mansão, e os Hartnell, os Price Ridley, os Weatherby... Eram pessoas cujos pais e mães, avós e avôs ou tios e tias, haviam morado no mesmo lugar antes delas. Se alguém viesse de fora, sempre trazia cartas de apresentação, ou teria sido do mesmo regimento ou servido no mesmo navio. E, se aparecesse alguém que fosse realmente um estranho, um completo desconhecido, então todos ficariam imaginando coisas e não descansariam enquanto não descobrissem tudo a seu respeito.

Com alguma melancolia, ela balançou a cabeça, continuando:

— Mas não é mais assim. Todas as vilas e casas de campo do interior estão cheias de pessoas que simplesmente chegaram e se instalaram, sem terem quaisquer laços com a gente da terra. Todas as mansões foram vendidas, e os bangalôs foram modificados e restaurados. E aparecem novos moradores a todo o instante; tudo o que sabemos deles é o que eles mesmos contam. Vêm de todas as partes do mundo. Da Índia, de Hong-Kong e da China, além das pessoas que viviam na França e na Itália, em cidadezinhas baratas e ilhotas pitorescas. E, também, que ganharam algum dinheiro e puderam se aposentar. Mas ninguém mais sabe quem é quem. Alguém pode ter peças de latão de Varanasi em casa, ou falar em *tiffin* e *chota hazri*, ou poderá ter fotografias de Taormina e falar de sua igreja inglesa e da biblioteca de lá, como as senhoritas Murgatroyd e Hinchcliffe. Pode ter vindo do Sul da França ou passado a vida no Oriente. E todos aceitam quem chega, sem pestanejar. Não esperam, para a primeira visita, receber antes uma carta de um amigo, dizendo que fulano é uma pessoa encantadora, um amigo de infância etc. e tal.

E essa, pensou Craddock, era exatamente a raiz do seu problema. Ele não sabia. Todos eram apenas rostos e personalidades, afiançados por carnês de racionamento e cartões de identidade... cartões bem impressos, numerados, mas sem fotografias ou impressões digitais. Bastava querer para se conseguir um cartão de identidade — e, em parte devido a isso, os laços sutis que mantinham intacta a estrutura da sociedade rural inglesa haviam se desfeito. Numa cidade, ninguém conhece seus vizinhos; no campo também não, mas às vezes temos a ilusão de que os conhecemos.

Graças à porta que fora lubrificada, Craddock sabia que um dos que haviam estado na sala de visitas de Little Paddocks não era o bom vizinho que fingia ser... ou a boa vizinha...

E, por causa disso, ele tinha medo do que poderia acontecer a Miss Marple, que era tão frágil e tão idosa, embora tão esperta...

— Até certo ponto — disse ele —, podemos verificar a vida pregressa desse pessoal... — Mas ele sabia que isso era mais difícil do que parecia. Índia, China, Hong-Kong, Sul da França... bem mais difícil do que teria sido 15 anos antes. Ele sabia muito bem que muita gente andava pelo país com identidades emprestadas... geralmente, emprestadas por pessoas vitimadas subitamente em "trágicos incidentes" nas grandes cidades. Havia organizações que compravam ou falsificavam identidades e cartões de racionamento; havia centenas de atividades ilegais de pequeno porte, florescendo por toda a parte. Era possível verificar, mas levaria muito tempo, e tempo ele não tinha, porque a viúva de Randall Goedler estava às portas da morte.

Foi então que, cansado e preocupado, embalado pela luz do sol, ele contou a Miss Marple a história de Randall Goedler e de Pip e Emma.

— Dois nomes, nada mais — disse ele. — Ainda por cima, apelidos! Podem não existir. Podem ser dois respeitáveis cidadãos vivendo em algum lugar da Europa. Por outro lado, um deles, ou ambos, podem estar aqui em Chipping Cleghorn.

Mais ou menos 25 anos... quem poderia ser? Pensando em voz alta, ele continuou:

— O sobrinho e a sobrinha... ou primos, ou sei lá o quê... há quanto tempo ela não os via, eu gostaria de saber...

— Pode deixar que eu descubro — disse, gentilmente, Miss Marple.

— Pelo amor de Deus, Miss Marple, não vá...

— Vai ser muito simples, inspetor, não precisa se preocupar. E não vai chamar a atenção de ninguém, o senhor sabe, já que não será oficial. Se houver alguma coisa de errado com eles, não seria bom alertá-los, não é mesmo?

"Pip e Emma", pensou Craddock. Pip e Emma? Aquilo já era uma obsessão para ele. O rapaz atraente, audacioso, a jovem bonita de olhos frios...

— Nas próximas 48 horas — disse ele — poderei descobrir mais alguma coisa sobre eles. Vou à Escócia. A sra. Goedler, se estiver em condições de falar, poderá me contar bastante sobre Pip e Emma.

— Acho que é a melhor coisa que poderia fazer. — Miss Marple hesitou, então murmurou: — Espero que o senhor tenha avisado a sra. Blacklock para que tenha cuidado.

— Eu a preveni. E vou deixar um homem pelas redondezas, para controlar a situação a distância.

Ele teve de evitar o olhar de Miss Marple, que lhe dizia com suficiente clareza que deixar um homem para controlar a situação a distância adiantaria muito pouco, se o inimigo estivesse dentro de casa...

— E não se esqueça — disse Craddock, ao se despedir — que também preveni a senhora.

— Posso lhe garantir, inspetor — disse Miss Marple —, sei tomar conta de mim mesma muito direitinho.

Capítulo 11
Miss Marple toma um chá

I

Talvez Letitia Blacklock parecesse um pouco distraída quando a sra. Harmon apareceu para o chá, trazendo uma convidada que estava passando alguns dias em sua casa. Mas Miss Marple — a convidada em questão — não o perceberia facilmente, por ser a primeira vez que se viam.

A velhinha revelou-se encantadora, com seus modos gentis e sua amena bisbilhotice. Logo de saída, mostrou que era uma dessas velhas senhoras sempre preocupadas com ladrões.

— Hoje em dia, minha cara — ela garantiu à dona da casa —, eles conseguem entrar em qualquer lugar, em qualquer lugar. Eu não acredito em nenhum desses sistemas modernos de segurança inventados pelos americanos. Prefiro uma coisa muito antiquada: um bom ferrolho, bem pesado. Eles conseguem forçar fechaduras e destravar trancas, mas um bom ferrolho? Duvido. Já tentou isso?

— Ah, nós não nos preocupamos muito com essas coisas — disse a sra. Blacklock, risonha. — Aqui não há muita coisa para ser roubada.

— É muito bom colocar uma correntinha na porta da frente — aconselhou Miss Marple. — Assim, a empregada pode abrir uma fresta para ver quem está batendo, e não podem forçar a entrada.

— Acho que Mitzi (uma refugiada que trabalha para nós) adoraria isso.

— Deve ter sido horrível o assalto que aconteceu aqui — disse Miss Marple. — Bunch me contou tudo.

— Eu fiquei apavorada — disse Bunch.

— Foi mesmo uma experiência muito desagradável — concordou a sra. Blacklock.

— Foi uma sorte, que o tal homem tenha tropeçado e atirado nele mesmo, não foi? Esses ladrões são tão violentos hoje em dia. Como é que ele entrou?

— O problema é que nós não temos o hábito de trancar as portas.

— Ah, Letty — disse a sra. Bunner. — Esqueci de lhe contar. O inspetor agiu de maneira muito esquisita hoje. Insistiu em abrir a outra porta... você sabe, essa que nós nunca abrimos, ali. Procurou a chave até achar e disse que a porta tinha sido lubrificada. Mas eu não sei por quê, já que...

O sinal da sra. Blacklock para que calasse a boca veio tarde demais, e ela apenas hesitou, de boca aberta.

— Ah, Lotty, desculpe... quer dizer... ai, Letty, não foi por mal. Desculpe... eu sou tão burra...

— Não importa — disse a sra. Blacklock, embora fosse visível o seu aborrecimento. — Só imagino que o inspetor Craddock não gostaria que comentássemos o assunto. Não sabia que você estava lá quando ele andou investigando, Dora. A senhora compreende, não, sra. Harmon?

— Ah, claro — disse Bunch. — Não vamos dizer uma palavra, não é, tia Jane? Mas fico pensando por que ele...

E mergulhou em seus pensamentos. A sra. Bunner passou alguns instantes hesitando, com a cara comprida dos pecadores arrependidos, antes de voltar ao assunto, com ímpeto:

— Mas eu sempre digo as coisas erradas! Ah, Letty, eu sou uma carga tão grande nas suas costas...

— Você é o meu consolo, Dora — respondeu rapidamente a sra. Blacklock. — Além disso, num lugar pequeno como Chipping Cleghorn, nenhum segredo dura muito mesmo.

— E essa é uma grande verdade — disse Miss Marple.

— É impressionante a rapidez com que as notícias correm. Em parte são os empregados, mas não pode ser apenas isso; temos tão poucos empregados hoje em dia. Mas há essas mulheres que trabalham por hora, e até que devem ser piores, porque vão de casa em casa, espalhando as novidades.

— Oh! — exclamou, subitamente, Bunch Harmon. — Entendi tudo! É claro: se essa porta também podia ser aberta, então alguém poderia ter saído daqui, no escuro, e realizado o assalto... Só que não foi assim... já que foi aquele homem do hotel... ou não foi?... Realmente, ainda não entendi tudo...

Ela franziu as sobrancelhas.

— Foi aqui que tudo aconteceu, então? — perguntou Miss Marple, acrescentando, em tom de desculpa: — Tenho a impressão de que a senhora está me achando muito curiosa, sra. Blacklock... mas foi um episódio tão emocionante... como essas coisas que a gente lê nos jornais... e, tendo acontecido com alguém que a gente conhece... estou louca para ouvir a história toda, para imaginar exatamente como tudo aconteceu, a senhora entende, não?

Imediatamente, Miss Marple foi alvo de um relato, confuso e não muito objetivo, a duas vozes — as de Bunch e da sra. Bunner —, salpicado de emendas e correções da parte da sra. Blacklock.

No meio da narrativa, Patrick chegou e, de bom humor, passou a colaborar — a ponto de desempenhar o papel de Rudi Scherz.

— E a tia Letty estava ali... no canto, junto ao arco... Vá para lá, tia Letty...

A sra. Blacklock obedeceu, e aproveitaram para mostrar a Miss Marple os buracos de bala na parede.

— Mas que coisa extraordinária... A senhora escapou por um fio... — disse ela, arregalando os olhos.

— Eu ia oferecer cigarros aos convidados... — E a sra. Blacklock apontou para a caixa de prata sobre a mesa.

— Quase ninguém toma cuidado quando fuma — reclamou a sra. Bunner. — Não respeitam os móveis como antigamente.

Olhem essa queimadura horrível que alguém fez, deixando um cigarro aceso em cima da mesa. Uma vergonha!

A sra. Blacklock suspirou.

— Não devemos dar muita importância a essas coisas...

— Mas é uma mesa tão bonita, Letty.

A sra. Bunner tinha, pelos bens da amiga, um carinho tão grande quanto se fossem seus. Bunch Harmon sempre a admirara por isso. Ela não tinha uma ponta sequer de inveja.

— É uma linda mesa — disse Miss Marple, gentilmente. — E o abajur de porcelana, uma gracinha.

A sra. Bunner aceitou o elogio como se fosse ela, e não a sua amiga, a proprietária do objeto.

— Não é uma beleza? Dresden. Temos dois iguais. O outro está no quarto de guardados, acho eu.

— Você sabe onde está tudo nesta casa, Dora... ou, pelo menos, pensa que sabe — disse a sra. Blacklock, com bom humor. — Você se preocupa muito mais do que eu com as minhas coisas.

A sra. Bunner ficou encabulada.

— Eu gosto mesmo de coisas bonitas — confessou, numa voz meio sonhadora e também meio desconfiada.

— De minha parte, confesso que tenho muito carinho pelos meus poucos bens — disse Miss Marple. — São tantas recordações que estão ligadas a eles, sabem como é... A mesma coisa com fotografias. Hoje em dia, as pessoas guardam muito poucos retratos. Eu não, tenho todos os retratos de meus sobrinhos e sobrinhas quando eram bebês, depois mais crescidos, e assim por diante.

— A senhora tem uma foto minha horrível, aos três anos — disse Bunch. — Segurando um cachorro e apertando os olhos.

— Imagino que a sua tia tenha uma porção de retratos seus — disse Miss Marple, voltando-se para Patrick.

— Ah, nós somos apenas primos, não muito próximos.

— Acho que Elinor me mandou um retrato seu, quando era um bebê, Patrick — disse a sra. Blacklock. — Mas acho que o perdi. Para falar a verdade, tinha até esquecido quantos filhos ela teve e como se chamavam, até que ela me escreveu, falando de vocês dois.

— É um outro sinal dos tempos — disse Miss Marple. — Hoje, é muito comum a gente não conhecer os parentes mais jovens. Antigamente, quando havia reuniões de família, isso seria impossível.

— A última vez que vi a mãe de Pat e Julia foi em seu casamento, há trinta anos — disse a sra. Blacklock. — Era uma moça muito bonita.

— Por isso, teve filhos tão bonitos — disse Patrick, sorrindo.

— A senhora tem um álbum maravilhoso — disse Julia. — Não se lembra, tia Letty? Nós o folheamos, outro dia. Aqueles chapéus!

— E nós nos achávamos tão elegantes — suspirou a sra. Blacklock.

— Não se incomode, tia Letty — afirmou Patrick. — Daqui a uns trinta anos, Julia vai se encontrar em uma foto de hoje... e na certa vai se achar ridícula!

II

— A senhora fez aquilo de propósito? — perguntou Bunch, enquanto ela e Miss Marple voltavam para casa. — Puxar o assunto das fotografias?

— Ora, meu bem, não deixa de ser interessante saber que a sra. Blacklock não conhecia qualquer dos seus dois jovens parentes de vista... É... acho que o inspetor Craddock vai gostar de saber disso.

CAPÍTULO 12
Atividades matinais em Chipping Cleghorn

I

Edmund Swettenham se sentou, precariamente, num montinho de pedras.

— Bom dia, Phillipa — disse ele.

— Olá.

— Muito ocupada?

— Mais ou menos.

— Fazendo o quê?

— Não está vendo?

— Não, não sou jardineiro. Para mim, você está brincando com a terra.

— Estou preparando a terra para plantar alfaces.

— É mesmo? Bastante prosaico.

— Veio procurar alguma coisa em especial? — perguntou Phillipa, com frieza.

— Sim. Vim procurar você.

Phillipa o olhou de esguelha.

— Preferia que não viesse. A sra. Lucas não vai gostar.

— Ela proíbe que você tenha admiradores?

— Não seja bobo.

— Admiradores... uma palavra certíssima. Descreve perfeitamente a minha atitude. Admiração... respeitosa, à distância... mas profunda.

— Vá embora, Edmund, por favor. Você não tem nada que fazer aqui.

— Errado — respondeu ele, triunfante. — Eu tenho o que fazer aqui. A sra. Lucas telefonou para mamãe hoje e lhe disse que está com um superávit de abobrinhas maduras.

— Quilos delas.

— E nós gostaríamos de trocar um jarro de mel por uma ou duas abobrinhas.

— Mas é uma troca desigual! Abobrinhas maduras não estão valendo nada, todo mundo está cheio delas.

— É claro. Foi por isso que a sra. Lucas telefonou. Da última vez, a troca sugerida foi de um pouco de leite desnatado... leite desnatado, veja bem... por alguns pés de alface. Ainda não era tempo de alfaces, e estavam valendo um xelim cada pé.

Phillipa não respondeu.

Edmund remexeu no bolso e extraiu um pote de mel.

— E aqui — disse — está o meu álibi. Indestrutível! Se o busto da sra. Lucas apontar na esquina, estou aqui para trocá-lo por alguns vegetais. Não se poderá dizer que quem estiver conversando comigo esteja desleixando no cumprimento do dever.

— Estou vendo.

— Você já leu Tennyson? — perguntou Edmund, reanimando a conversa.

— Não muito.

— Deveria. Tennyson vai voltar a ficar em moda dentro de muito pouco tempo. Quando você ligar o rádio, a BBC estará transmitindo *Os idílios do rei*, em vez dessas intermináveis discussões sobre Trollope. Para mim, a mania por Trollope sempre foi sinal de afetação. Um pouquinho de Trollope, de vez em quando, muito bem. Mas Trollope, Trollope, Trollope, o tempo todo! Ninguém aguenta. Mas, por falar em Tennyson, já leu o poema "Maud"?

— Uma vez, há muito tempo.

— Tem umas coisas boas.

Quase murmurando, ele recitou:

— "Simples e pura, fria e certa, um vazio esplêndido." É você, Phillipa.

— Não chega a ser um elogio!

— Não, não era para ser. Acho que o pobre coitado estava intoxicado pela Maud, assim como eu estou por você.

— Não seja tolo, Edmund.

— Ah, que inferno, Phillipa, por que você é assim? O que acontece por trás dessas lindas feições? Em que você pensa? O que você sente? Está feliz, triste, assustada... ou o quê? Alguma coisa tem de ser.

— Os meus sentimentos são um problema meu — disse Phillipa, em voz baixa.

— E meu também. Quero fazer você falar. Quero saber o que está acontecendo nessa cabecinha fechada. Tenho o direito de saber. Claro que tenho! Eu não quis me apaixonar por você. Só queria escrever meu livro, sozinho no meu canto. Um livrinho tranquilo, mostrando as misérias do mundo. É extremamente fácil dizer coisas inteligentes sobre a melancolia generalizada do mundo de hoje. No fundo, é tudo uma questão de hábito. Eu me convenci disso quando li uma biografia de Burne Jones.

Phillipa tinha deixado de lado as alfaces e o olhava com certa perplexidade.

— O que tem Burne Jones a ver com tudo isso?

— Tudo, tudo. É lendo sobre os pré-rafaelitas que compreendemos o que é a moda. Eles eram todos absurdamente saudáveis, alegres; riam e brincavam; e tudo era bom e maravilhoso. Era uma questão de moda. Eles não eram mais saudáveis ou felizes que nós. E nós não somos mais infelizes que eles. É tudo moda, como eu disse. Depois da Primeira Guerra, foi a moda do sexo. Agora, é a moda das frustrações. E nada disso importa. Mas por que estamos falando sobre essas coisas? Eu comecei falando de nós dois. Mas me deu medo de continuar e acabei desviando o assunto. Porque você não quer me ajudar.

— O que quer que eu faça?

— Fale! Conte-me coisas. É o seu marido? Você o adorava, ele morreu, e por isso você se fechou numa concha? É isso? Muito bem, você o adorava, e ele morreu. Pois os maridos de outras mulheres também morreram, uma porção deles, e algumas delas gostavam deles. A gente as ouve falar nos bares; chegam a chorar quando bebem um pouco além da conta, e depois vão para a cama com a gente porque acham que assim vão se sentir melhor. É uma forma de resolver o problema, eu acho. E você tem de resolver o seu problema, Phillipa. Você é moça, muito linda, e eu a amo demais. Fale-me sobre o seu maldito marido, conte-me coisas sobre ele.

— Não há nada a contar. Nós nos conhecemos e nos casamos.

— Você devia ser muito moça.

— Moça demais.

— Então, não era feliz com ele? Vamos, Phillipa, continue.

— Não há nada além disso. Casamos, e éramos tão felizes quanto a maioria das pessoas, acho eu. Harry nasceu. Ronald foi para a guerra. Ele... Ele morreu na Itália.

— E, agora, só existe Harry?

— E agora só existe Harry.

— Eu gosto de Harry. É um bom garoto, simpático. Ele gosta de mim. Nós nos damos bem. E então, Phillipa? Vamos nos casar? Você pode continuar com a jardinagem, e eu vou escrevendo o meu livro, e nos feriados paramos de trabalhar e nos divertimos. Com um pouco de jeito, conseguiremos não morar com a mamãe. Ela pode soltar um pouco de dinheiro para ajudar o filho adorado. Eu sou um parasita, escrevo livros idiotas, não enxergo bem, falo demais... esses são os piores defeitos. Quer experimentar?

Phillipa o olhou. O que via era um jovem alto, de ar meio solene, tendo no rosto um par de óculos e uma expressão de expectativa. O seu cabelo cor de areia estava despenteado, e ele a encarava com um sorriso simpático e ansioso.

— Não — disse Phillipa.

— Definitivamente não?

— Definitivamente não.

— Por quê?

— Você não sabe nada a meu respeito.
— Só isso?
— Não. Você não sabe nada sobre coisa alguma.

Edmund pensou um pouco.

— Talvez não saiba mesmo — admitiu. — Mas quem sabe? Phillipa, minha adorada... — E parou.

O som de uma voz estridente se aproximava deles.

Pássaros encarapitados no alto muro do jardim
(recitou Edmund),
Quando a noite começava a cair (embora sejam apenas onze da manhã),
Phil, Phil, Phil, Phil,
Era o seu grito incessante.

— O seu nome não ajuda muito para uma rima, não é? Parece uma "Ode a uma caneta-tinteiro".[6] Você não teria outro nome?

— Joan. Por favor, vá embora. É a sra. Lucas.

— Joan, Joan, Joan, Joan. Melhor, mas não muito. Quando a pobre Joan se debruça no fogão... não é uma imagem que predisponha ao casamento, lamentavelmente.

— A sra. Lucas está...

— Ah, que inferno! — disse Edmund. — Passe aí uma abobrinha madura, vamos.

II

O sargento Fletcher estava à vontade em Little Paddocks. Era o dia de folga de Mitzi. Ela sempre ia a Medenham Wells no ônibus das onze horas. Tendo feito uma combinação prévia com a sra.

---

[6] Há um trocadilho intraduzível no original. Phil, diminutivo de Phillipa, tem o mesmo som de *fill*, "encher".

Blacklock, o sargento Fletcher tinha a casa à sua disposição. Dora Bunner e a dona da casa tinham ido à cidade.

Fletcher trabalhou depressa. Alguém naquela casa havia lubrificado e preparado a porta, e, quem quer que o tenha feito, tivera o objetivo de sair da sala de estar sem ser percebido, assim que as luzes se apagassem. Isso deixava Mitzi de fora, já que ela não precisaria usar aquela porta.

Quem sobrava? Os vizinhos, Fletcher pensou, também podiam ficar de fora. Não imaginava como pudessem ter a oportunidade de preparar a porta. Sobravam Patrick e Julia Simmons, Phillipa Haymes e, possivelmente, Dora Bunner. Os jovens Simmons estavam em Milchester. Phillipa, trabalhando. O sargento tinha total liberdade para procurar o que quisesse. Mas a casa, para seu desapontamento, não parecia esconder qualquer segredo. Fletcher, que era um técnico em eletricidade, não achou nada, na fiação ou nos aparelhos elétricos, que sugerisse como haviam sido apagadas as luzes. Dando uma rápida busca nos quartos, encontrou tudo irritantemente em ordem. No quarto de Phillipa Haymes, havia retratos de um menino de olhos sérios, uma foto mais antiga da mesma criança, uma pilha de cartas infantis, dois ou três programas teatrais. Julia tinha, em seu quarto, uma gaveta cheia de instantâneos tirados no Sul da França: banhos de mar, uma vila cercada de árvores floridas. Patrick guardava algumas recordações de seus tempos na Marinha. Dora Bunner tinha poucos objetos pessoais, todos aparentemente inocentes.

No entanto, pensou Fletcher, alguém daquela casa havia lubrificado a porta da sala.

Seus pensamentos foram interrompidos por um ruído que vinha do andar inferior. Ele correu para o patamar da escada e olhou para baixo. A sra. Swettenham estava atravessando a saleta de entrada. Tinha uma cesta no braço. Olhou para dentro da sala de estar, voltou-se e entrou na sala de jantar. Saiu logo depois, sem a cesta.

Um leve ruído feito por Fletcher — uma tábua que estalou sob seus pés — a fez voltar a cabeça.

— Sra. Blacklock?
— Não, sra. Swettenham, sou eu — disse Fletcher.

A mulher sufocou um gritinho.

— Ah, que susto! Pensei que fosse outro ladrão.

Fletcher desceu.

— Parece que esta casa não é bem protegida contra ladrões — disse. — Todo mundo entra e sai daqui à vontade?

— Eu trouxe alguns marmelos — explicou a sra. Swettenham. — A sra. Blacklock gosta de fazer marmelada, e não tem marmeleiro no quintal. Eu os deixei na sala de jantar.

Ela sorriu.

— Mas o senhor está querendo saber como foi que eu entrei? Foi pela porta do lado. Está sempre aberta. Nós vivemos entrando e saindo na casa dos outros, sargento. Ninguém se preocupa em trancar as portas antes de escurecer. E atrapalharia tudo, não é, se a gente trouxesse coisas e não tivesse onde deixá-las... Não é como antigamente, quando bastava apertar a campainha que logo aparecia um criado. — Ela suspirou. — Eu lembro — lamentou-se — que na Índia tínhamos 18 empregados... 18. Sem contar a aia. E não era nada de mais. Em casa, quando eu era pequena, tínhamos três... e mamãe achava uma vergonha que não pudéssemos ter uma auxiliar de cozinheira., Eu estranho muito a vida que se leva hoje em dia, sargento, embora eu saiba que a gente não deve se queixar. Muito mais sofrem os pobres mineiros, que vivem contraindo psitacose (o nome é esse, ou essa é aquela doença dos papagaios?) e por causa disso têm de mudar de trabalho e vão ser jardineiros, sem saber distinguir um tufo de grama de um pé de espinafre, não é mesmo? Não se incomode comigo — acrescentou, dirigindo-se para a porta. — Imagino que esteja muito ocupado. Escute: não vai acontecer mais nada, vai?

— Por que aconteceria, sra. Swettenham?

— Quando vi o senhor aqui, pensei que poderia ser o caso. Será que não é uma quadrilha de ladrões? Ah!... por favor, diga à sra. Blacklock que eu trouxe os marmelos, sim?

A sra. Swettenham saiu. Fletcher se sentia como se tivesse recebido um choque inesperado. Ele acreditara — erroneamente, como agora percebia — que, obrigatoriamente, havia sido alguém da casa quem preparara a porta. E estava vendo o seu erro. Alguém de fora precisaria apenas esperar até que Mitzi tomasse o seu ônibus e que Letitia Blacklock e Dora Bunner deixassem a casa. E nada seria mais simples. Assim, não poderia ficar fora de cogitação quaisquer das pessoas que estiveram na sala de jantar naquela noite.

III

— Murgatroyd.

— O que é, Hinch?

— Andei pensando...

— Foi mesmo, Hinch?

— É, o cérebro genial andou funcionando. Sabe, Murgatroyd, aquela história do outro dia não me convenceu muito.

— Como assim, Hinch?

— Você vai ver. Prenda esse cabelo, Murgatroyd, e segure este martelo. Faça de conta que é um revólver.

— Oh — disse a srta. Murgatroyd, nervosa.

— Muito bem. Calma, ele não vai morder. Venha até a porta da cozinha. Você vai ser o ladrão. Fique aí. Agora, você vai entrar na cozinha e assaltar um bando de patetas. Segure a lanterna. Acenda-a.

— Mas ainda é dia!

— Use a imaginação, Murgatroyd. Acenda.

A srta. Murgatroyd obedeceu, desajeitada, segurando o martelo sob o braço enquanto o fazia.

— Muito bem — disse a srta. Hinchcliffe —, vá em frente. Lembre-se daquela vez em que você fez Hérmia, do *Sonho de uma noite de verão*, no Instituto Feminino. Seja atriz. Capriche. "Mãos ao alto!", é a sua única fala... E não me estrague a cena dizendo "por favor".

Obedientemente, a srta. Murgatroyd levantou a lanterna, brandiu o martelo e avançou até a porta da cozinha.

Transferindo a lanterna para a mão direita, girou rapidamente a maçaneta e deu um passo adiante, passando a lanterna para a mão esquerda novamente.

— Mãos ao alto! — disse, sem muita convicção. — Meu Deus, é muito difícil, Hinch — acrescentou, encabulada.

— Por quê?

— A porta. É de vaivém, fica voltando em cima de mim, e estou com as duas mãos ocupadas.

— Exatamente — exclamou a srta. Hinchcliffe. — E a porta da sala de estar em Little Paddocks faz a mesma coisa. Não é de vaivém, mas também não fica aberta. Foi por isso que Letty Blacklock comprou aquele prendedor pesado de vidro, no Elliot's, na High Street. Por falar nisso, eu nunca a perdoei por ter passado na minha frente. Eu já tinha conseguido que aquele velho idiota baixasse o preço de oito guinéus para seis libras (e ainda ia pechinchar mais um pouco), quando a Blacklock foi e comprou aquela porcaria. Nunca vi um prendedor de porta tão bonito, é muito difícil fazerem grandes como aquele.

— Talvez o ladrão tenha colocado o prendedor no lugar para manter a porta aberta... — sugeriu a srta. Murgatroyd.

— Use a cabeça, Murgatroyd. Como é que ele pode ter feito isso? Escancarou a porta, disse: "Com licença um instante", abaixou, ajeitou o prendedor e depois voltou à posição inicial, mandando todo mundo levantar as mãos? Tente segurar a porta com o ombro.

— Ainda fica muito sem jeito — queixou-se a srta. Murgatroyd.

— Exato — disse a srta. Hinchcliffe. — Um revólver, uma lanterna e a porta para se segurar... é um pouco demais, não é? Logo, qual é a resposta?

A srta. Murgatroyd não tentou responder. Olhava com curiosidade e admiração para sua astuta amiga e esperava que dela viesse a luz da verdade.

— Nós sabemos que ele tinha um revólver, porque deu os tiros — disse a srta. Hinchcliffe. — E sabemos que tinha uma lanterna, porque nós a vimos... a não ser que tenhamos sido vítimas de hipnose coletiva, como no truque indiano da corda (como o velho Easterbrook é chato com aquelas histórias...);[7] portanto, a pergunta a fazer é: será que alguém segurou a porta para ele?

— Mas quem poderia ter feito isso?

— Ora, você mesma, por exemplo, Murgatroyd. Que eu me lembre, você estava de pé ao lado da porta quando as luzes se apagaram.

A srta. Hinchcliffe riu com prazer.

— Um tipo muito suspeito, você, hein, Murgatroyd? Ninguém pensaria, à primeira vista. Vamos, passe para cá esse martelo; graças a Deus que não é um revólver, ou você já estaria morta a essa altura!

IV

— É a coisa mais extraordinária — murmurou o coronel Easterbrook. — Realmente extraordinária, Laura!

— Sim, querido?

— Venha aqui no meu quarto um instante.

— O que é, meu bem?

A sra. Easterbrook apareceu na soleira da porta.

— Lembra-se de quando lhe mostrei o meu revólver?

— Ah, sei. Uma coisa preta, horrível.

— É. Lembrança dos alemães. Estava nesta gaveta, não estava?

— Estava, eu acho.

— Pois não está mais.

— Archie, que coisa estranha!

— Você não mexeu nele?

---

[7] O truque indiano da corda é uma das mais conhecidas "mistificações" apresentadas, na Índia, aos turistas: o "ilusionista" joga ao ar uma corda, que misteriosamente se mantém esticada; depois, faz subir por ela uma criança, que, chegando ao alto, desaparece; em seguida, o próprio mágico sobe e desaparece, retornando a tempo de correr o turbante entre os presentes (N. da T.).

— Ah, imagine! Eu jamais teria coragem de encostar um dedo naquele revólver.

— Será que aquela velha...?

— Ah, não, de forma alguma. A sra. Butt não faria uma coisa dessas. Quer que eu pergunte?

— Não... é melhor não. Não vale a pena deixar que comecem a falar. Diga uma coisa, você se lembra quando foi que lhe mostrei o revólver?

—Ah... uma semana, mais ou menos. Você estava resmungando a respeito dos seus colarinhos e da lavadeira e puxou a gaveta toda; estava ali no fundo, e eu perguntei o que era.

— É; foi isso mesmo. Mais ou menos uma semana. Não se lembra do dia?

De olhos baixos, a sra. Easterbrook pensou no problema, usando toda a sua massa cinzenta.

— Claro — disse ela. — Foi no sábado. Nós íamos ao cinema e acabamos não indo.

— Hum... tem certeza de que não foi antes? Na quarta-feira? Ou quinta, ou na semana anterior?

— Não, meu bem — disse a sra. Easterbrook. — Lembro-me muito bem. Foi no sábado, dia 30. Parece que passou muito tempo por causa de tudo o que houve. E posso mostrar por que tenho certeza: foi no dia seguinte ao assalto na casa da sra. Blacklock. Porque, quando vi o revólver, lembrei-me do tiroteio, na noite anterior.

— Ah! — disse o coronel Easterbrook — isso tira um peso das minhas costas.

— Ora, Archie, por quê?

— Porque, se aquele revólver tivesse sumido antes do tiroteio... ora, seria bem possível que aquele sujeitinho tivesse roubado o meu revólver.

— E como é que ele ia saber que você tinha um revólver?

— Essas quadrilhas são diabólicas para descobrir essas coisas. Conseguem saber tudo sobre os lugares e as pessoas que moram neles.

— Quanta coisa você sabe, Archie.

— Lá isso é verdade. A experiência que eu tenho... Mas, como você se lembra de ter visto o revólver depois daquela noite, tudo está resolvido. O revólver que o suíço usou não poderia ser o meu, certo?

— Claro.

— É um alívio. Eu teria de ir à polícia, e iam me fazer uma porção de perguntas desagradáveis. Seria obrigação deles. E eu nunca cheguei a tirar uma licença para ele. A gente acaba se esquecendo dessas leis, depois de uma guerra. E eu o considerava mais como um suvenir do que como uma arma.

— Claro. É natural, meu bem.

— Mas, mesmo assim... onde diabos estará ele?

— É bem capaz de a sra. Butt tê-lo apanhado. Ela sempre me pareceu muito honesta, mas pode ser que tenha ficado muito nervosa depois do assalto, e tenha sentido vontade de ter um revólver em casa. Mas ela jamais confessará. Nem vou lhe perguntar nada. Pode se ofender. E, depois, o que que nós íamos fazer? Esta casa é tão grande... eu, sozinha, nunca poderia...

— Certo — decidiu o coronel Easterbrook. — Melhor não dizer nada.

Capítulo 13
Atividades matinais em Chipping Cleghorn (cont.)

I

Miss Marple fechou atrás de si o portão da casa paroquial e entrou no pequeno caminho que levava à rua principal.

Com a ajuda de uma grossa bengala do reverendo Julian Harmon, seus passos eram seguros e rápidos.

Passou pela Red Cow e pelo açougueiro; fez então uma breve parada para examinar a vitrine da loja de antiguidades do sr. Elliot. A loja ficava estrategicamente situada ao lado da Bluebird Tearooms, para que os seus frequentadores motorizados, depois de parar para uma xícara de chá e uns "bolinhos caseiros" — uma designação um tanto eufemística —, se sentissem tentados pelos objetos engenhosamente expostos na vitrine.

O sr. Elliot procurara servir a todos os gostos. Duas peças de cristal de Waterford repousavam sobre um belo resfriador de vinhos. Uma escrivaninha de nogueira se anunciava como sendo "uma autêntica pechincha", e, sobre uma mesa, viam-se diversas peças: aldabras de formatos curiosos, louça de Dresden, dois tristonhos colares de contas, uma caneca com a inscrição "Recordação de Tumbridge Wells" e alguns objetos de prata vitoriana.

Miss Marple se encantou com a vitrine, e o sr. Elliot, uma aranha velha e obesa, espreitou de sua teia, avaliando as possibilidades daquela nova mosca.

No momento exato em que ele chegava à conclusão de que uma recordação de Tumbridge Wells não deveria corresponder aos sonhos secretos de uma senhora hospedada na casa paroquial (é claro que o sr. Elliot, como todo mundo, sabia exatamente quem era ela), Miss Marple avistou, com o canto do olho, a sra. Dora Bunner entrando na Bluebird. Imediatamente, decidiu que nada seria melhor para cortar o vento frio da manhã do que uma boa xícara de café.

A ideia já ocorrera a quatro ou cinco senhoras. Miss Marple, piscando os olhos para acostumá-los ao ambiente mal-iluminado do café, foi saudada pela voz de Dora Bunner, ao seu lado.

— Bom dia, Miss Marple. Sente-se aqui, vamos. Estou sozinha.
— Muito obrigada.

Miss Marple se deixou cair, com certo alívio, na cadeira de braços pintada de azul e de aparência frágil — um dos pontos altos da decoração da casa de chá.

— Que vento forte — queixou-se ela. — Eu não posso andar muito depressa, por causa do meu reumatismo.

— Eu sei o que é isso. Sofri de ciática um ano... era horrível!

Com apetite, as duas senhoras trocaram impressões de combate sobre reumatismo, ciática e nefrite. Uma jovem de ar emburrado, que vestia um avental cor-de-rosa enfeitado, no busto, por uma revoada de pássaros azuis, ouviu com um bocejo e um resmungo de fatigada impaciência os seus pedidos de café e bolinhos.

— Os bolinhos — disse a sra. Bunner, num sussurro conspiratório — são mesmo muito bons aqui.

— Simpatizei muito com aquela moça, tão bonitinha, que encontrei no outro dia, quando estava saindo da sua casa — disse Miss Marple. — Acho que ela trabalha em jardinagem. Ou será outra coisa? Hynes... ou é outro nome?

— Ah, sim, Phillipa Haymes. Nossa "hóspede de honra", como nós costumamos dizer.

A sra. Bunner riu de seu próprio senso de humor.

— Uma moça muito tranquila; uma pessoa fina, sabe como é.

— Estou aqui pensando. Conheci um coronel Haymes... na cavalaria indiana. Será que era o pai dela?

— Ela é uma sra. Haymes. Viúva. O marido foi morto na Sicília, ou na Itália. Claro, pode ser que seja o pai dele.

— Fiquei me perguntando, não haverá um pouco de romance no ar? — sugeriu Miss Marple, com ar maroto. — Com aquele rapaz alto?

— Com Patrick, a senhora quer dizer? Não, eu não...

— Não, eu falo de um rapaz alto, de óculos. Já o vi por aí.

— Ah, sim, Edmund Swettenham. Shh! Aquela ali, no canto, é a mãe dele, a sra. Swettenham. Mas não sei, sabe? Acha que ele gosta dela? É um rapaz tão estranho... às vezes, diz coisas bem esquisitas. Todos dizem que ele é muito inteligente — concluiu ela, com o ar de quem revelava um vício oculto.

— A inteligência não é tudo na vida — sentenciou Miss Marple, sacudindo a cabeça. — Ah, olhe o nosso café.

A jovem de cara amarrada colocou a louça, ruidosamente, sobre a mesa. Miss Marple e a sra. Bunner se serviram de bolinhos.

— Achei uma coisa tão bonita, a senhora e Letitia Blacklock terem sido colegas de escola... uma amizade antiga, é raro isso hoje em dia.

— É mesmo — suspirou a sra. Bunner. — Muito pouca gente seria tão leal a uma velha amiga como ela foi. Ah, os bons tempos, há tantos anos... Ela era tão bonita, e gostava tanto da vida... uma coisa tão triste...

Sem ter a menor ideia do que seria tão triste assim, Miss Marple também suspirou e sacudiu a cabeça.

— A vida é muito dura — murmurou.

— "E o triste sofrimento com bravura suportado" — recitou a sra. Bunner, com os olhos rasos de água. — Sempre me recordo desse verso. Paciência e resignação... são virtudes que merecem reconhecimento, na minha opinião. Para mim, nada é bom demais para ela, e o que lhe acontecer de bom, é porque ela merece, de verdade.

— O dinheiro — disse Miss Marple — pode fazer muito para suavizar os nossos sacrifícios.

O comentário era, pelo menos aparentemente, seguro. A outra só poderia estar falando das possibilidades de riqueza futura da sra. Blacklock.

No entanto, ele lançou a sra. Bunner numa trilha diferente.

— Dinheiro! — exclamou ela com amargura. — Sabe, eu não creio que alguém, sem passar pela experiência, possa saber quanto realmente vale o dinheiro, ou ainda, a falta dele.

Miss Marple concordou sabiamente, com um aceno de sua cabeça branca.

A sra. Bunner continuou, falando depressa, entusiasmando-se, com o sangue lhe subindo ao rosto:

— Tantas vezes a gente ouve as pessoas dizerem que preferem "ter só flores na mesa, a ter uma mesa sem flores". Quantas refeições quem diz isso terá passado sem comer? Não sabem o que é... ninguém sabe, sem ter passado por isso... sentir fome de verdade. Pão, um pouquinho de margarina, um vidro de pasta de carne. Um dia depois do outro, sempre a mesma coisa, e a gente sonhando com um bife, com legumes. E a má aparência. Quando a gente tem de remendar as roupas e ficar esperando que não fique muito visível. E tentar trabalhar e ouvir, sempre, dizerem que já passamos da idade. Ou, então, conseguir um emprego só para descobrir que as forças da gente não dão. E desmaiar, e perder o emprego. E o aluguel, sempre o aluguel, que tem de ser pago, ou nos botam na rua. A pensão que a gente recebe nunca dura muito... dura muito pouco, na verdade.

— Eu sei — disse, com ternura, Miss Marple, olhando para a expressão corada e aguerrida da sra. Bunner.

— Eu escrevi para a Letty. Vi o seu nome por acaso, no jornal. Era a notícia de um almoço em benefício do hospital de Milchester. Estava lá, preto no branco: sra. Letitia Blacklock. Senti como se o passado estivesse voltando. Há anos que não ouvia falar nela. Tinha sido secretária de um homem muito rico, Goedler... nunca ouviu falar nele? Sempre fora uma jovem inteligente, dessas que sobem na vida. Não era muito bonita; mas tinha muita personalidade. Eu pensei... Ora, eu pensei que talvez ela se lembrasse de mim... e era uma das pessoas que poderiam me ajudar. Alguém que a gente conheceu na infância, companheira de colégio, que nos conhece a fundo... que sabe que a gente... que a gente não está querendo enganar ninguém...

Seus olhos se encheram de lágrimas.

— Foi então que Lotty veio e me levou com ela; disse que precisava de alguém para ajudá-la. Eu tive a maior surpresa da minha vida, é claro... mas é claro que os jornais sempre podem se enganar, não é? Ela foi tão boa... tão compreensiva. Eu faria qualquer coisa por ela... qualquer coisa. E se lembrava tão bem dos bons tempos... Eu faço muita força, realmente me esforço... mas às vezes faço tudo errado... minha cabeça não anda boa, sabe como é? Eu me engano muito. Eu me esqueço, e digo as coisas erradas. Ela é muito paciente. O que eu realmente gosto nela é que sempre finge que eu sou mesmo útil a ela. Isso é que é bondade, não acha?

— É realmente bondade — concordou Miss Marple, com doçura.

— Mesmo depois de vir para Little Paddocks, eu costumava me preocupar com o que ia ser de mim... se alguma coisa acontecesse a ela. Há tantos acidentes... esses carros correm feito uns loucos... nunca se sabe, não é? É claro que eu nunca disse nada, mas ela deve ter adivinhado. Um dia, de repente, contou que deixara para mim uma renda fixa, no testamento... e, também, o que para mim tem muito mais valor... todos os seus móveis, que são tão bonitos... Fiquei tão emocionada... Mas ela disse que ninguém cuidaria deles como eu... e isso é verdade, mesmo... eu não suporto ver objetos quebrados, marcas de copos em cima das mesas, essas coisas. Eu me preocupo com esse tipo de coisa. Algumas pessoas são tão descuidadas... há umas que são mais do que descuidadas!

Falando com simplicidade, ela prosseguiu:

— Eu não sou tão tonta quanto pareço. Eu vejo muito bem quando alguém está explorando Letty. Umas pessoas... não vou citar nomes... tiram todas as vantagens que podem. Ela confia demais, sabe como é?

— Faz muito mal — disse Miss Marple, balançando a cabeça.

— Faz, sim. A senhora e eu, Miss Marple, nós conhecemos o mundo. Mas ela...

E a sra. Bunner também sacudiu a cabeça.

Miss Marple tinha a impressão de que a secretária de um grande homem de negócios também deveria conhecer o mundo. Provavelmente, a sra. Bunner queria referir-se ao fato de que Letty Blacklock sempre vivera com conforto, e que as pessoas bem colocadas na vida não conhecem os profundos abismos da natureza humana.

— Aquele Patrick! — exclamou a sra. Bunner, tão repentinamente e com tanta aspereza que Miss Marple quase deu um pulo. — Que eu saiba, já arrancou dinheiro dela duas vezes. Fingindo que está cheio de dívidas. Essas desculpas. Ela é generosa demais. Quando eu lhe falei sobre isso, só soube dizer que "ele é muito moço, Dora; é na juventude que se deve aproveitar".

— Mas isso é mesmo verdade — opinou Miss Marple. — É um rapaz tão simpático.

— Não vejo essa simpatia toda — insistiu Dora Bunner. — Vive se divertindo à custa dos outros. E aposto que vive metido com garotas. Para ele, eu não passo de... de uma figura ridícula. Parece que não compreende que as pessoas também têm sentimentos.

— Mas os moços sempre são assim — disse Miss Marple.

Com ar misterioso, a sra. Bunner se inclinou subitamente para a frente.

— A senhora jura que não diz uma palavra a ninguém? — ela exigiu. — Acontece que tenho certeza de que ele está metido naquela confusão. Para mim, ele conhecia aquele outro rapaz... ou, pelo menos, Julia conhecia. Eu jamais teria coragem de falar nisso com Letty... aliás, soltei uma insinuação e ela quase teve um ataque. É claro que é uma situação esquisita; afinal de contas, Patrick é sobrinho dela, ou primo, pelo menos; e, se o outro rapaz se matou, Patrick seria moralmente responsável, não seria? Quer dizer, se foi ele quem o convenceu a fazer aquela encenação toda. Eu fico muito confusa com essa história. Agora, só falam naquela outra porta da sala de estar. É outra coisa que me preocupa... o detetive dizer que ela foi lubrificada. Porque, entende, eu vi...

Parou, abruptamente.

Miss Marple demorou a encontrar um comentário adequado.

— Deve ser mesmo um problema e tanto para a senhora — disse, esforçando-se para ser simpática.

— Mas é esse o problema — exclamou Dora Bunner. — Eu passo as noites em claro, preocupada... Aconteceu outra coisa, no outro dia... Eu encontrei Patrick no fundo do quintal. Estava procurando ovos (uma das nossas galinhas só põe fora do galinheiro) e dei de cara com ele: estava segurando uma pena e uma xícara... uma xícara com um resto de óleo no fundo. Quando me viu, ele quase deu um pulo, assustado, e disse que estava pensando o que seriam aquelas coisas que tinha achado ali. Ele pensa muito depressa... tenho certeza de que imaginou essa desculpa logo que me viu. Só não sei como é que ele achou aquelas coisas no meio das plantas, a não ser que estivesse procurando e soubesse muito bem onde estavam. É claro que eu não disse nada.

— Não, claro que não.

— Mas eu o olhei, fazendo uma cara...

Dora Bunner esticou o braço para apanhar e mordiscar, distraidamente, um bolinho cor de salmão.

— E, depois, no outro dia, ouvi quando ele e Julia estavam tendo uma conversa muito séria. Pareciam estar discutindo. Ele disse: "Não quero nem pensar que você esteja metida nisso!", e a Julia (ela é muito calma sempre, sabe?) respondeu: "Ora, irmãozinho, o que que você faria?" Foi aí que eu dei o azar de pisar numa tábua meio solta, e eles me viram. "Andam brigando, vocês dois?", eu perguntei, fazendo graça, e o Patrick respondeu que estava avisando a ela que não comprasse nada no mercado negro. Ah, ele é muito esperto, mas é claro que não acreditei naquela história! E, se quer saber a minha opinião, eu acho que Patrick fez alguma coisa com o abajur da sala de estar, para fazer com que as luzes se apagassem, porque tenho certeza de que era a pastora, e não o pastor. E no dia seguinte...

Ela parou, enrubescendo. Miss Marple voltou a cabeça e viu a sra. Blacklock, parada atrás delas. Devia ter acabado de entrar.

— Café e mexericos, Bunny? — ela perguntou; havia um leve tom de reprovação em sua voz. — Bom dia, Miss Marple. Frio, não?

— Estávamos só conversando — disse a sra. Bunner, com nervosismo na voz. — Eu estava dizendo que hoje em dia há tantas leis novas, tantos regulamentos estranhos... Ninguém sabe direito o que tem de fazer, não é?

As portas se abriram de repente, e Bunch Harmon entrou na Bluebird como um furacão.

— Olá — disse ela. — Estou atrasada para o café?

— Não, meu bem — respondeu Miss Marple. — Sente-se e peça uma xícara.

— Precisamos ir andando — disse a sra. Blacklock. — Fez as compras, Bunny?

Sua voz era novamente bondosa, mas ainda havia reprovação em seus olhos.

— Fiz... Fiz, sim, Letty. Só preciso dar uma passadinha na farmácia para comprar aspirinas.

Quando as portas se fecharam atrás da dupla que saía, Bunch perguntou:

— Sobre que estavam conversando?

Miss Marple não respondeu imediatamente. Esperou até que Bunch pedisse o seu café, antes de falar:

— A solidariedade de família é algo muito forte. Muito forte, mesmo. Você se lembra de um caso famoso...? Não me lembro direito, mas diziam que o marido tinha envenenado a mulher. Com um copo de vinho. Então, no julgamento, a filha jurou que tinha bebido metade do copo da mãe, o que inocentava o pai. Dizem... claro que pode ser apenas boato... que ela nunca mais falou com o pai, nem continuou a morar com ele. É claro que um pai é uma coisa, e um sobrinho, ou primo distante, é outra. Mas continua sendo verdade que ninguém gosta de ver um membro da família enforcado, não é mesmo?

— Não — disse Bunch —, acho que não.

Miss Marple se recostou na cadeira. Murmurou, baixinho:

— Em toda a parte, as pessoas são sempre as mesmas, sempre parecidas umas com as outras.

— Com quem eu me pareço?

— Ora, para falar a verdade, querida, você se parece é com você mesma. Não sei de ninguém que você me faça lembrar. A não ser, talvez...

— Lá vem a turma dela — disse Bunch.[8]

— Estava pensando numa criada que eu tive, minha querida.

— Uma criada? Eu seria uma péssima criada.

— Eu sei, querida, ela também era. Não sabia servir à mesa. Punha tudo errado, misturava as facas da mesa com as da cozinha, e o seu gorro (isso foi há muitos anos, querida) estava sempre torto na cabeça.

Bunch, num gesto automático, ajustou o chapéu.

— E o que mais? — perguntou, com alguma ansiedade.

— Eu não a mandava embora porque era uma pessoa agradável de se ter em casa... e porque ela me fazia rir. Eu gostava de como ela dizia as coisas, de uma forma direta. Uma vez, veio me dizer: "Não posso ter certeza, senhora, mas a Florrie, do jeito que ela se senta, parece uma mulher casada." E tinha toda a razão: a pobre Florrie estava em dificuldades, causadas por um ajudante de cabeleireiro. Felizmente, ainda havia tempo, e eu pude ter uma conversinha com o rapaz; foi um casamento muito bonito, e eles foram muito felizes. Era uma boa moça, a Florrie, mas com uma certa tendência a se deixar levar por belos olhos azuis.

— Ela matou alguém? — perguntou Bunch. — Quero dizer, a sua criada.

— Não, jamais — respondeu Miss Marple. — Casou-se com um pastor batista. Tiveram cinco filhos.

---

[8] Para os leitores não familiarizados com Miss Marple: ela tem o hábito de encontrar, em todas as situações, semelhanças e pontos de contato com o ambiente que a cerca em sua cidade de St. Mary Mead. (N. da T.)

— Como eu — disse Bunch. — Embora eu só tenha chegado até Edwarel e Susan, até agora.

Um ou dois minutos depois, ela acrescentou:

— Em quem está pensando, tia Jane?

— Em muita gente, minha filha, muita gente — disse Miss Marple, vagamente.

— Gente de St. Mary Mead?

— Estava mesmo pensando era na enfermeira Ellerton. Uma mulher muito bondosa. Tomava conta de uma velha senhora, e parecia realmente gostar dela. Então, a velha morreu. E houve outra, que também morreu. Morfina. Aí descobriram tudo. Ela fizera tudo com a maior bondade, e a coisa mais chocante era que ela mesma não sabia que tinha feito algo de errado. As velhas não tinham muito tempo de vida, ela disse, e uma sofria de câncer e tinha dores horríveis.

— Quer dizer... eutanásia?

— Não, não. Ela era herdeira de ambas. Gostava de dinheiro, entende... E havia também um rapaz que trabalhava num navio, era sobrinho da sra. Pusey, da papelaria. Trazia coisas roubadas para ela vender. E dizia que as tinha comprado no exterior. Ela acreditava piamente. Quando a polícia apareceu e começou a fazer perguntas, ele lhe deu umas pauladas na cabeça, para que não pudesse denunciá-lo... Não era um jovem muito decente... mas muito simpático. Duas moças estavam apaixonadas por ele. Gastou um dinheirão com uma delas.

— Com certeza a pior das duas — disse Bunch.

— Exatamente, querida. Houve também o caso da sra. Cray, da loja de lãs. Era devotada ao filho, e acabou por estragá-lo. O rapaz se meteu com um pessoal muito esquisito. Lembra-se de Joan Croft, Bunch?

— N... Não, acho que não.

— Pensei que você a tivesse visto, quando veio me visitar. Costumava aparecer fumando, cachimbo ou charuto. Uma vez, o banco foi assaltado, e Joan estava lá na hora. Derrubou o homem e lhe tirou o revólver. Recebeu até uma medalha por isso.

Bunch ouvia atentamente. Parecia estar decorando as palavras de Miss Marple.

— E... — ela incentivou.

— Aquela moça em St. Jean des Collines, num certo verão. Uma moça tão calma... e ainda mais silenciosa do que calma. Todos gostavam dela, mas ninguém chegou a conhecê-la bem... Depois, soubemos que seu marido era um falsário. Por isso, ela se sentia afastada das outras pessoas. No fim, acabou meio esquisitona. A solidão causa essas coisas, sabe.

—As suas recordações incluem algum coronel anglo-indiano?

— Naturalmente, querida. Em Larches, havia o major Vaugham, e o coronel Wright em Simla Lodge. Não havia nada de errado com nenhum dos dois. Mas eu me lembro do sr. Hodgson, gerente do banco, que foi fazer uma viagem de navio e se casou com uma mulher com idade suficiente para ser sua filha. Não tinha a menor ideia de onde ela teria saído... a não ser pelo que ela própria lhe dizia.

— E não era verdade?

— Não, querida, muito pelo contrário.

— Nada mau — disse Bunch, contando nos dedos. — Já tivemos a devotada Dora, o belo Patrick, a sra. Swettenham e Edmund, Phillipa Haymes, o coronel Easterbrook e a sra. Easterbrook... e, se quer a minha opinião, acho que a senhora tem toda a razão em relação a ela. Só que não teria motivo algum para matar Letty Blacklock.

— Talvez a sra. Blacklock soubesse de algo que ela gostaria que não se tornasse conhecido.

— Puxa, mas essas coisas ainda acontecem?

— Às vezes. Você não é assim, Bunch, mas há pessoas que se incomodam muito com o que os outros pensam a seu respeito.

— Eu sei o que a senhora quer dizer — disse Bunch, subitamente. — Se a gente tivesse sofrido o diabo e, de repente, encontrasse um refúgio, um cantinho junto de uma lareira e uma mão para nos afagar a cabeça, e alguém que nos achasse formidáveis, faríamos de tudo para conservar isso... Bem, tenho de admitir que a sua galeria de tipos está bem completa.

— A verdade é que você não fez todas as comparações corretamente, sabe? — disse Miss Marple, suavemente.

— Não? Onde foi que me enganei? Julia? Julia, a bela Julia é tão peculiar...

—Três xelins e seis — disse a garçonete emburrada, surgindo inesperadamente. — Outra coisa — acrescentou, seu busto arfando sob os pássaros azuis do avental —, gostaria muito de saber, sra. Harmon, por que a senhora me chamou de peculiar. Sempre fui uma moça muito direita e nunca deixei de ir à igreja nos domingos.

— Pelo amor de Deus, me desculpe — disse Bunch. — Estava só inventando uma musiquinha. Não era com você. Nem sabia que seu nome é Julia.

— Ah, foi coincidência — disse a jovem, mais calma. — Eu não me ofendi, é claro, mas é que ouvi o meu nome, e pensei... bem, quando a gente pensa que estão falando de nós, é natural procurar ouvir, não é? Obrigada.

Embolsando a gorjeta, ela desapareceu.

— Tia Jane — disse Bunch —, não fique tão aborrecida! O que foi?

— Mas decerto... — murmurou Miss Marple — ...não poderia ser. Não há razão alguma...

— Tia Jane!

Miss Marple suspirou, e sorriu com animação.

— Não foi nada, meu bem.

— A senhora acha que sabe quem foi o culpado? — perguntou Bunch. — Quem foi?

— Mas eu não sei — disse Miss Marple. — Apenas tive uma ideia... mas não tenho mais. Bem que gostaria de saber. O tempo é tão curto. Tão curto.

— Por que... curto?

— Aquela senhora, na Escócia, pode morrer a qualquer momento.

— Então, a senhora acredita mesmo em Pip e Emma — disse Bunch, arregalando os olhos. — Acha que foram eles... e que tentarão de novo?

— Claro que tentarão de novo — disse Miss Marple, quase sem pensar. — Quem tentou uma vez, tentará uma outra; quando a gente decide matar alguém, não desiste só porque não deu certo na primeira tentativa. Ainda mais se tiver certeza de que ninguém suspeita.

— Mas, se forem Pip e Emma — disse Bunch —, só duas pessoas poderiam ser eles. Só podem ser Patrick e Julia. São irmãos e os únicos que têm a idade certa.

— Minha querida, não é tão simples assim. Existem dezenas de ramificações e combinações. Se Pip for casado, há a sua mulher; e o marido de Emma. E a mãe deles; ela é uma das partes interessadas, mesmo que não herde diretamente. Se Letty Blacklock não a vê há trinta anos, provavelmente não a reconheceria hoje. As mulheres, depois de certa idade, são muito parecidas umas com as outras. Lembre-se de que a sra. Wotherspoon recebeu, durante muito tempo, a sua pensão de velhice e a da sra. Bartlett, embora esta tivesse morrido há muito tempo. Além disso, a sra Blacklock é míope. Não reparou como ela aperta os olhos para ver as pessoas? E temos também o pai da dupla. Pelo que se sabe, não é boa coisa.

— É, mas ele é estrangeiro.

— De nascença. Mas não há motivo algum para se imaginar que fale mal o inglês ou que gesticule muito, como certos continentais... Tenho a impressão de que poderia muito bem desempenhar o papel, por exemplo... por exemplo, de um coronel anglo-indiano, tão bem quanto qualquer outra pessoa.

— A senhora acha mesmo isso?

— Não, não, claro que não. Só sei que há muito dinheiro em jogo, muito dinheiro, mesmo. E eu sei muito bem as coisas terríveis que as pessoas fazem para pôr as mãos num monte de dinheiro.

— Ah, eu imagino — disse Bunch. — Mas não adianta nada, não é? No fim de tudo, quero dizer?

— Não, não adianta... mas elas nunca sabem disso de antemão.

— Eu entendo isso — disse Bunch, subitamente sorrindo, o seu sorriso meio torto, mas doce. — Todos pensam que, com eles, vai ser diferente... Até eu sinto isso...

E divagou:

— A gente finge que faria um bem enorme com o dinheiro... uma porção de planos... asilos para órfãos... mães desamparadas... férias para mulheres idosas que trabalharam a vida toda...

Seu rosto se encheu de sombras. Seus olhos escureceram, trágicos.

— Eu sei o que a senhora deve estar pensando — disse a Miss Marple. — Está achando que eu seria das piores. Porque eu me iludo com facilidade. Quem está atrás de dinheiro por motivos egoístas pelo menos não tem ilusões sobre si mesmo. Mas, quando a gente começa a fingir, a imaginar que fará coisas boas com o dinheiro, então não é tão difícil de se convencer que não faria grande diferença matar alguém...

De repente, seus olhos se desanuviaram.

— Mas eu não. Eu não mataria ninguém. Nem que fosse uma pessoa velha, ou doente ou que estivesse fazendo muito mal aos outros. Nem que fosse um chantagista... ou um verdadeiro animal.

Cuidadosamente, ela pescou uma mosca aprisionada no fundo da xícara e a colocou sobre a mesa para secar.

— Eu sei que as pessoas gostam de viver... não gostam? Como as moscas. Até mesmo quando estamos muito velhos e sofrendo muito, quando tudo o que fazemos é nos arrastar ao sol para esquentar os ossos. Julian diz que pessoas assim são mais presas à vida do que os mais jovens e mais fortes. Para elas, ele diz, é mais difícil morrer, a luta é mais dura. Eu gosto de viver; não apenas de ser feliz, de me divertir. Só viver, mesmo; a sensação que tenho quando acordo e sinto, no corpo todo, a certeza de que existo, de que sou alguma coisa...

Com doçura, ela soprou sobre a mosca; o inseto sacudiu as pernas e, meio desequilibrado, saiu voando.

— Fique tranquila, tia Jane querida — disse Bunch. — Eu jamais mataria alguém.

Capítulo 14
Excursão no passado

I

Depois de passar uma noite no trem, o inspetor Craddock desceu em uma pequena estação escocesa.

Sua primeira impressão foi de estranheza: por que a rica sra. Goedler, inválida, podendo escolher entre uma mansão bem situada em Londres, uma propriedade rural em Hampshire ou uma vila no Sul da França, teria preferido aquele remoto ponto da Escócia para viver? Devia ser uma vida muito solitária. Talvez ela estivesse doente demais para dar atenção ao ambiente que a rodeava, ou para preocupar-se com isso.

Um carro o esperava. Um grande e velho Daimler, dirigido por um idoso motorista. Era uma manhã ensolarada, e Craddock não se aborreceu durante a pequena viagem de trinta quilômetros; quanto mais avançavam, mais ele se admirava com aquele gosto pela solidão. Um comentário dirigido ao motorista trouxe um esclarecimento parcial:

— Ela viveu aqui quando criança. É a última sobrevivente da família. O sr. Goedler e ela sempre foram mais felizes aqui do que em qualquer outro lugar, e olhe que era difícil, para ele, afastar-se de Londres com frequência. Mas, quando conseguia, os dois se distraíam muito por aqui.

Quando avistaram as muralhas cinzentas da velha edificação, Craddock sentiu o tempo andar para trás. Um mordomo envelhecido o recebeu: depois de fazer a barba e tomar um rápido banho, foi levado a uma sala aquecida por uma gigantesca lareira, e lhe serviram o café da manhã.

Estava terminando quando entrou uma mulher de meia-idade, vestida de enfermeira, de ar simpático e competente; apresentou-se como sendo a irmã McClelland.

— Minha paciente o espera, sr. Craddock. Na verdade, está ansiosa para vê-lo.

— Farei o possível para não lhe causar nenhum tipo de estresse — prometeu Craddock.

— É melhor que fique prevenido do que poderá acontecer. O senhor a encontrará inteiramente normal. Ela falará bastante, e se distrairá com isso até que, de repente, perderá as forças. Saia imediatamente e me chame. Acontece que ela vive quase permanentemente sob a ação de morfina. Passa quase todo o tempo em estado de sonolência. Devido à sua visita, dei-lhe um estimulante forte. Assim que o seu efeito passar, ela cairá num estado de semiconsciência.

— Entendo, sra. McClelland. Se possível, eu gostaria de saber exatamente qual é o estado de saúde da sra. Goedler.

— Bem, sr. Craddock, ela está morrendo. Não poderá viver mais do que algumas semanas. Pode parecer exagero, mas a verdade é que devia estar morta há anos. O que a tem mantido viva é o seu enorme amor pela vida, a intensidade com que ela vive cada momento. É curioso que isso aconteça com alguém que há muitos anos não passa de uma inválida, e que não sai desta casa há 15 anos, mas é a pura verdade. A sra. Goedler nunca teve saúde, mas conservou, em enorme grau, a vontade de viver.

Com um sorriso, ela concluiu:

— E o senhor verá também que é uma mulher encantadora.

Craddock foi levado a um espaçoso quarto; o fogo estava aceso, e uma senhora idosa estava recostada numa ampla cama, sob um dossel. Embora fosse apenas sete ou oito anos mais velha do que Letitia Blacklock, sua fragilidade fazia-a parecer muito mais idosa.

Seus cabelos brancos estavam cuidadosamente penteados; um xale azul de lã lhe cobria os ombros. Seu rosto era marcado por linhas de sofrimento; mas também havia traços de doçura. E, estranhamente, seus olhos azuis tinham um brilho que Craddock só podia classificar como maroto.

— Isso é curioso — disse ela. — Não é sempre que recebo a visita da polícia. Ouvi dizer que Letitia Blacklock saiu praticamente ilesa do atentado contra ela, não? Como vai a minha querida Blackie?

— Muito bem, sra. Goedler. Manda-lhe lembranças.

— Faz muito tempo que não a vejo... Há muitos anos que apenas trocamos cartões no Natal. Eu a convidei a vir aqui, quando veio para a Inglaterra depois da morte de Charlotte, mas ela disse que, depois de tantos anos, haveria muitas recordações dolorosas, e talvez tivesse razão... Blackie sempre teve muito bom senso. No ano passado, convidei uma velha amiga de colégio... Meu Deus, como nos aborrecemos, as duas!

Ela sorriu.

— Quando acabamos a série dos "você se lembra...?", não havia mais nada a dizer. Foi até constrangedor.

Craddock deixou que ela falasse à vontade, antes de começar com as perguntas. Queria, de certa forma, entrar no passado, para sentir como eram, exatamente, as relações entre a sra. Blacklock e os Goedler.

— Imagino — disse Belle, astutamente — que o senhor queira me fazer perguntas sobre o dinheiro. Randall o deixou todo para Blackie, depois da minha morte. Na verdade, ele nunca pensou que morreria antes de mim. Era um homenzarrão forte, que nunca ficou doente na vida, e eu sempre vivi entre dores e gemidos, com uma porção de médicos sempre à minha volta, todos de cara amarrada.

— Tenho a impressão de que a senhora nunca foi de fazer reclamações, sra. Goedler.

A velha senhora riu.

— Não, nunca me queixei muito. Nunca senti muita pena de mim mesma. Mas sempre achamos que eu, sendo a mais fraca, iria embora primeiro. Mas não foi assim. Não... bem ao contrário...

— Por que exatamente o seu marido fez o seu testamento dessa forma?

— Quer saber por que ele deixou o dinheiro para Blackie? Não pela razão que na certa lhe está passando pela cabeça — afirmou ela, com o brilho no olhar mais maroto do que nunca. —Vocês da polícia pensam logo em certas coisas! Randall nunca esteve apaixonado por ela, e nem ela por ele. Na verdade, Letitia tem uma mentalidade masculina. Não tem fraquezas ou sentimentos femininos. Não creio que jamais se tenha apaixonado por algum homem. Nunca foi muito bonita, nem se preocupava com roupas. E a pouca maquiagem que usava era mais uma concessão aos costumes do que uma tentativa de se embelezar.

Com um toque de piedade na voz, ela arrematou:

— Letitia nunca usufruiu as vantagens de ser mulher.

Craddock olhou com interesse para aquela figurinha frágil estendida sobre a cama. Belle Goedler — ele só então percebeu — não só aproveitara bem a sua condição de mulher como ainda o fazia. Ela sorriu para ele.

— Sempre pensei — disse — como deve ser terrivelmente aborrecido alguém ser homem, e não mulher. Acho — continuou, voltando a falar sério — que Randall sempre viu em Blackie uma espécie de irmão mais novo. Sempre confiou em suas opiniões, que eram invariavelmente sensatas. Mais de uma vez ela o salvou de águas turvas, sabia?

— Ela me contou que uma vez chegou a socorrê-lo com dinheiro.

— É verdade, mas eu me referia a mais do que isso. Depois de tantos anos, pode-se falar a verdade. Randall não conseguia ver com exatidão a diferença entre o certo e o errado. Não tinha uma consciência muito sensível, entende? O coitado não distinguia bem o que era apenas um ato de espertezá de uma ação desonesta. Blackie o mantinha na linha. E para isso podia-se contar com Letitia Blacklock: de uma honestidade sem limites. Nunca faria algo que fosse desonesto. Uma pessoa de muito bom caráter, sabe? Sempre a admirei. Aquelas duas tiveram uma infância terrível. O pai era um velho médico rural, teimoso e de mentalidade estreita como poucos, um tirano doméstico completo. Letitia se libertou e foi para Londres, onde estudou contabilidade. A outra irmã era doente, tinha uma deformidade qualquer, e nunca recebia pessoas ou saía de casa. Foi por isso que, quando o pai morreu, Letitia largou tudo e foi cuidar dela. Randall ficou uma fera, mas não adiantou nada. Se Letitia achava que era sua obrigação fazer alguma coisa, ela fazia e pronto. Não adiantava tentar demovê-la.

— Isso aconteceu quanto tempo antes de seu marido morrer?

— Uns dois anos, acho eu. Randall fez o testamento antes de ela sair da firma, e não o modificou depois. "Não temos ninguém", ele me disse (nosso filho morreu com dois anos). "Quando tivermos morrido, nós dois, é melhor que Blackie fique com o dinheiro. Ela vai fazer uma devastação na bolsa, com ele." Randall era fascinado pelo jogo das finanças — continuou Belle. — Para ele, não era só o dinheiro, mas também a aventura, os riscos, a emoção. E Blackie era igualzinha a ele. Tinha o mesmo espírito aventureiro e as mesmas opiniões. Coitada, não tinha as outras coisas: apaixonar-se, manobrar os homens, brincar com eles... e também ter um lar e filhos, e tudo o mais.

Craddock não podia deixar de se admirar com aquilo, com a piedade sincera, com uma ponta de desprezo, que aquela mulher revelava — uma mulher cuja vida fora toda ela prejudicada pela doença, cujo único filho morrera, cujo marido morrera, e que ficara condenada a uma viuvez solitária, presa a uma cama por tantos anos.

— Sei o que o senhor está pensando — disse ela, com um gesto de cabeça. — Mas eu já tive todas as coisas que valem a pena na vida. Posso tê-las perdido... mas já as tive. Quando moça, eu fui bonita e alegre; casei-me com o homem que amava, e ele nunca deixou de me amar... Meu filho morreu, mas eu o tive para mim durante dois anos lindos. Sofri muito, fisicamente... mas só quem sente dor sabe apreciar o extremo prazer dos momentos em que a dor vai embora. E todo mundo é bom para mim, sempre... na verdade, sou uma mulher de sorte.

De algo que ela dissera antes, Craddock extraiu uma nova pergunta:

— A senhora disse que o seu marido deixou a fortuna para a sra. Blacklock porque não tinha outra pessoa no mundo. Mas isso não é exatamente verdade, não? Ele tinha uma irmã.

— Ah, Sonia. Mas tinham brigado muitos anos antes, e nunca mais se viram.

— Ele não concordou com o casamento dela?

— Exato. Ela se casou com um homem chamado... Ora, como era mesmo aquele nome...?

— Stamfordis.

— Isso mesmo. Dmitri Stamfordis. Randall sempre disse que ele era um vigarista. Os dois se detestaram de saída. Mas Sonia estava apaixonadíssima e decidida a se casar de qualquer maneira. E eu sempre achei que ela tinha razão. Os homens têm sempre ideias estranhíssimas sobre esses assuntos. Sonia não era nenhuma criança, tinha 25 anos e sabia exatamente o que estava fazendo. Eu admito que ele era um vigarista, um espertalhão profissional, mesmo. Tinha ficha na polícia, e Randall sempre suspeitou que usasse nome falso. Sonia sabia de tudo isso. O "xis" do problema, e Randall naturalmente não poderia saber disso, era que Dmitri tinha um charme enorme com as mulheres. E estava tão apaixonado por Sonia quanto ela por ele. Randall dizia que ele queria se casar pelo dinheiro dela... mas não era verdade. Sonia era muito bonita, entende? E tinha muita personalidade. Se o casamento não tivesse dado certo, se Dmitri fosse infiel ou mau para ela, ela poderia simplesmente abandoná-lo. Era uma mulher rica e podia fazer o que bem quisesse.

— Nunca fizeram as pazes, ela e o irmão?

— Não. Randall e Sonia nunca se deram bem. Ela ficou furiosa quando ele tentou impedir o casamento. "Você nunca mais vai me ver!", foi o que ela disse.

— E a senhora, nunca teve notícias?

Belle sorriu.

— Um ano e meio depois, recebi uma carta, de Budapeste, se bem me lembro; mas ela não mandou o endereço. Pedia que eu dissesse a Randall que era muito feliz, e que acabava de ter gêmeos.

— E lhe disse os seus nomes?

Belle sorriu novamente.

— Disse que haviam nascido logo em seguida ao meio-dia... por isso, ia chamá-los de Pip e Emma. Devia ser brincadeira, claro.

— E nunca mais ouviu falar dela?

— Não. Ela anunciou que ia fazer uma pequena viagem, com o marido e as crianças, aos Estados Unidos. E nunca mais soube dela...

— A senhora por acaso guardou a carta?

— Não, lamento muito... Eu a li para Randall, e ele só fez resmungar que "ela ainda vai se arrepender de ter se casado com aquele sujeito". E não tocou mais no assunto. Na verdade, nós nos esquecemos dela. Saiu inteiramente de nossas vidas, entende?

— No entanto, o sr. Goedler deixou seus bens para os filhos dela, na hipótese de que Letitia Blacklock morresse antes da senhora?

— Ah, isso foi ideia minha. Quando ele me falou sobre o testamento, eu lhe disse: "Ah, eu sei que Blackie é forte como um cavalo, e eu sou muito delicada, mas acidentes podem acontecer..." E ele disse: "Mas não há mais ninguém... ninguém." "E Sonia?", eu perguntei. Ele explodiu: "Deixar aquele sujeito colocar as mãos no meu dinheiro? Jamais!" Foi então que sugeri os filhos deles. Nós sabíamos de Pip e Emma, e podia haver outros, depois. Ele resmungou mais um pouco, mas acabou concordando.

— E desse dia em diante — disse Craddock, escolhendo as palavras — nunca mais teve notícias de sua cunhada ou de seus filhos?

— Não... podem ter morrido... ou podem estar em qualquer parte.

"Em Chipping Cleghorn, por exemplo", pensou Craddock.

Como se lesse os seus pensamentos, os olhos da sra. Goedler se encheram de apreensão.

— Não deixe que eles façam mal a Blackie. Blackie é uma boa pessoa... boa de verdade... não deixe que lhe façam nada...

Sua voz começou a sumir. Craddock notou as sombras escuras que se formavam ao redor de sua boca e de seus olhos.

— A senhora está cansada — disse ele. — Vou sair.

Ela concordou com um gesto de cabeça.

— Mande Mac entrar — sussurrou. — Estou mesmo cansada... Tome conta de Blackie... para que nada lhe aconteça... tome conta dela...

— Farei o possível, sra. Goedler.

Ele se levantou e se dirigiu para a porta. A voz dela, um fiapo de som, o seguiu:

— Não falta muito... até eu morrer... perigoso para ela... tome conta...

A irmã McClelland passou por ele quando saiu.

— Espero não lhe ter feito mal — disse Craddock, constrangido.

— Nem pense nisso, inspetor. Eu lhe disse que ela ia perder as forças de repente, não disse?

Mais tarde, ele fez uma pergunta à enfermeira:

— A única coisa que não tive tempo de perguntar à sra. Goedler foi se ela teria velhas fotografias. Se tiver, eu poderia...

Ela o interrompeu:

— Infelizmente, não existe nada desse tipo. Todos os seus papéis e recordações foram guardados junto com os móveis da casa de Londres, no começo da guerra. A sra. Goedler estava muito mal naquela época. Pouco depois, o depósito foi bombardeado. Ela ficou tristíssima por ter perdido tudo aquilo. Acho que não restou nada.

Não havia coisa alguma a fazer, então, pensou Craddock.

No entanto, ele tinha a certeza de que sua viagem não fora em vão. Pip e Emma, os dois fantasmas, não eram mais fantasmas.

Ele pensou:

"Temos um irmão e uma irmã que cresceram juntos em algum lugar da Europa. Quando se casou, Sonia Goedler era uma mulher rica, mas, nos últimos tempos, o dinheiro deixou de valer muita coisa em diversas partes do continente. A guerra mudou muita coisa. Portanto, temos os dois jovens, filhos de um homem com um passado criminoso. Podem ter vindo para a Inglaterra sem tostão. O que fariam? Procurariam descobrir algum parente rico. O tio, um homem riquíssimo, morreu. Provavelmente, a primeira coisa que fariam seria tentar conhecer o seu testamento... ver se, por acaso, algum dinheiro não foi deixado para a mãe ou para eles próprios. Assim, acabam descobrindo a existência de Letitia Blacklock. Em seguida, procuram saber mais sobre a viúva de Randall Goedler. Apuram que é uma inválida que mora na Escócia, com pouco tempo de vida. Se essa Letitia Blacklock morrer antes dela, os dois herdarão uma enorme fortuna. E aí?"

Ele mesmo respondeu:

"Eles não vão à Escócia: mas procuram descobrir onde está morando Letitia Blacklock. E vão para lá. Não com seus verdadeiros nomes... e juntos... ou separados? Emma... quem poderia ser?... Pip e Emma... Eu como o meu chapéu se Pip, ou Emma, ou os dois, não estão agora mesmo em Chipping Cleghorn."

Capítulo 15
"Delícia Fatal"

I

Na cozinha de Little Paddocks, a sra. Blacklock dava instruções a Mitzi.

— Sanduíches de sardinha e de tomate também. E alguns desses bolinhos que você faz tão bem. E eu queria que você fizesse também aquele seu bolo especial.

—Vai ser festa, então? Essas coisas todas...

— É aniversário da sra. Bunner, e virão convidados para o chá.

— Na idade dela, ninguém comemora aniversário. Muito melhor esquecer.

— Ora, ela não quer esquecer. Vai ganhar uma porção de presentes... e não custa nada fazer uma festinha para ela.

— Da última vez, senhora fez festinha. E viu no que deu.

A sra. Blacklock controlou a sua irritação.

— Mas desta vez não vai acontecer nada.

— Como é que senhora sabe o que vai acontecer nesta casa? Eu passo dia todo tremendo e de noite tranco porta do quarto e olho armário para ver se não tem ninguém escondido.

— Então, você não tem nada com que se preocupar — comentou, friamente, a sra. Blacklock.

— O bolo que senhora quer é o... — E Mitzi pronunciou uma palavra que, aos ouvidos britânicos da sra. Blacklock, soou como *Schwitzebzr*, ou, melhor ainda, como dois gatos cuspindo.

— Esse mesmo.

— Mas, para esse, não temos nada! Impossível fazer. Preciso chocolate, muita manteiga, açúcar, passas.

— Pode usar essa lata de manteiga que recebemos dos Estados Unidos. E algumas dessas passas que estávamos guardando para o Natal, e aqui está uma barra de chocolate e o açúcar.

O rosto de Mitzi se abriu num sorriso radiante.

— Assim, fazer uma maravilha... uma maravilha! — exclamou ela, extasiada. — Vai ser bolo enorme, de derreter na boca! Em cima ponho cobertura... cobertura de chocolate... capricho muito... e escrevo "Felicidades". Ingleses fazem bolos com gosto de areia, nunca, nunca, provaram bolo assim. Uma delícia, vocês vão dizer... Uma delícia...

Seu rosto novamente se encheu de sombras.

— Sr. Patrick. Ele chama meu bolo de Delícia Fatal. Meu bolo! Não deixe chamar meu bolo assim!

— Mas é um elogio — disse a sra. Blacklock —, uma maneira de dizer que o bolo é muito gostoso.

Mitzi não pareceu convencer-se de todo.

— Bom, eu não gosto dessas palavras: fatal, fatalidade... Ninguém morre porque come meus bolos; ao contrário, as pessoas sentem muito melhor, muito mesmo.

— Tenho certeza de que vai ser assim mesmo.

A sra. Blacklock saiu da cozinha com um suspiro de alívio por ter encerrado com êxito a conversa. Mitzi era sempre imprevisível.

Encontrou-se com Dora Bunner no corredor.

— Ah, Letty, não quer que eu ensine Mitzi a cortar os sanduíches?

— Não — disse a sra. Blacklock, guiando-a com firmeza na direção contrária à da cozinha. — Ela não está de bom humor, e não quero perturbá-la.

— Mas eu só ia mostrar a ela...

— Por favor, não lhe mostre coisa alguma, Dora. Esse pessoal da Europa Central não gosta de aprender as coisas. Detestam receber lições.

Dora a olhou, incerta. Subitamente, abriu-se em sorrisos.

— Edmund Swettenham acabou de telefonar. Desejou-me muitas felicidades e disse que vinha me trazer um pote de mel de presente hoje à tarde. Não é um amor de rapaz? Não sei como descobriu que era o meu aniversário.

— Parece que todo mundo sabe. Você deve ter falado sobre isso, Dora.

— Bem, pode ser que eu tenha comentado que estou fazendo 59...

— Você está com 64 anos, Dora — disse a sra. Blacklock, dando uma piscaleda.

— A srta. Hinchcliffe me disse: "Você nem parece; quantos anos acha que eu tenho?" Fiquei sem saber o que dizer, porque ela é tão diferente que pode aparentar qualquer idade. Disse que vai me trazer uns ovos, por sinal. Eu lhe contei que as nossas galinhas não andam pondo muito bem ultimamente.

— Nada mal para um aniversário — comentou a sra. Blacklock. — Mel, ovos... aquela linda caixa de bombons da Julia...

— Não sei onde ela consegue essas coisas.

— É melhor não perguntar. Com toda a certeza, seus métodos são inteiramente ilegais.

— E o seu broche divino.

A sra. Bunner olhou com orgulho para a pequena folha ornada de diamantes que lhe enfeitava o busto.

— Você gosta? Que bom. Nunca me importei muito com joias.

— Adoro.

— Ótimo. Vamos dar de comer aos patos.

II

— Ah! — exclamou Patrick, dramaticamente, quando todos se reuniram em torno da mesa. — O que vejo? A Delícia Fatal!

— Calado — ordenou a sra. Blacklock. — Não deixe que Mitzi o ouça. Ela detesta esse nome que você deu ao bolo.

— De qualquer maneira, é mesmo uma delícia fatal! É o bolo de aniversário de Bunny?

— É, sim — disse a sra. Bunner. — Nunca tive um aniversário tão divertido na vida.

Ela estava com as faces coradas pela animação, desde que o coronel Easterbrook lhe entregara uma caixinha de doces com uma reverência e a dedicatória verbal: "Doces para a mais doce!"

Julia fora forçada a tapar a boca depressa, sob o olhar de censura da sra. Blacklock.

Todos fizeram justiça às iguarias colocadas sobre a mesa do chá.

— Estou com um peso no estômago — disse Julia. — É esse bolo. Tive a mesma sensação da última vez.

— Mas vale a pena — disse Patrick.

— Esses estrangeiros realmente entendem de bolos — disse a srta. Hinchcliffe. — Mas a verdade é que não sabem fazer um bom pudim.

Todos mantiveram um silêncio respeitoso, embora aflorasse aos lábios de Patrick uma pergunta sobre se alguém ainda estaria interessado num bom pudim.

— Está com jardineiro novo? — perguntou a srta. Hinchcliffe à sra Blacklock, quando voltavam para a sala de estar.

— Não, por quê?

— Vi um sujeito bisbilhotando perto do galinheiro. Um jeito de militar, bem-apessoado.

— Ah, ele — disse Julia. — É o nosso detetive.

A sra. Easterbrook deixou cair a bolsa no chão.

— Detetive? — exclamou. — Mas... Mas... por quê?

— Não sei — disse Julia. — Ele vive rondando a casa, vigiando tudo. Acho que está protegendo a tia Letty.

— Uma bobagem — disse a sra. Blacklock. — Eu sei me proteger muito bem.

— Mas pensei que tudo já tivesse acabado — disse a sra. Easterbrook. — Estava mesmo para lhe perguntar por que adiaram o encerramento do inquérito.

— Porque a polícia não está satisfeita, ainda — disse o seu marido. — Só pode ser por isso.

— Mas não estão satisfeitos ainda com o quê?

O coronel Easterbrook sacudiu a cabeça, com ar de quem sabia de muita coisa, embora nada pudesse dizer.

Edmund Swettenham, que não gostava do coronel, disse:

— A verdade é que estamos todos sob suspeita.

— Mas suspeita de quê? — repetiu a sra. Easterbrook.

— Não insista, meu bem — disse o marido.

— Suspeita de ter más intenções — disse Edmund. — Ou seja, de cometer o homicídio na primeira oportunidade.

— Ah!, pare com isso, por favor, sr. Swettenham — suplicou Dora Bunner. — Tenho certeza de que ninguém aqui quer matar a minha adorada Letty!

Houve uma pausa de terrível constrangimento. Edmund, muito vermelho, murmurou:

— Foi só uma brincadeira...

Em voz bem alta, Phillipa sugeriu que ligassem o rádio para ouvir o noticiário das seis horas, uma sugestão recebida com grande entusiasmo.

— A sra. Harmon está fazendo falta — sussurrou Patrick para Julia. — Ela não ia perder a oportunidade de perguntar, em voz bem alta:"Mas com certeza alguém ainda está pensando em matar a senhora, não está, sra. Blacklock?"

— Eu acho bom que nem ela, nem aquela Miss Marple tenham podido vir — disse Julia. — Aquela senhora é muito curiosa. Não para de fazer perguntas.

Ouvir o noticiário propiciou uma agradável discussão em torno dos horrores da guerra nuclear. O coronel Easterbrook declarou que a Rússia era a grande inimiga da civilização ocidental, ao que Edmund respondeu que tinha diversos amigos russos bastante civilizados — uma informação, aliás, recebida friamente pela maioria dos presentes.

A festinha acabou com efusivos cumprimentos à dona da casa.

— Divertiu-se, Bunny? — perguntou a sra. Blacklock, ao sair o último convidado.

— Ah, muito. Mas fiquei com uma terrível dor de cabeça. É essa excitação toda, acho eu.

— É o bolo — disse Patrick. — Meu fígado está reclamando um pouco, também. E a senhora também andou se empanturrando de chocolates a manhã toda.

— Acho que vou me deitar — disse a sra. Bunner. — Vou tomar umas duas aspirinas e cochilar um pouco.

— Uma ótima ideia — disse a sra. Blacklock.

A sra. Bunner subiu.

— Quer que eu vá guardar os porcos, tia Letty?

A sra. Blacklock olhou para Patrick com severidade.

— Se não se esquecer de passar a tramela...

— Ah, pode deixar. Juro que tomo cuidado.

— Tome um cálice de xerez, tia Letty — disse Julia. — Tive uma ama-seca que costumava dizer, sobre qualquer coisa que queria que bebêssemos: "Vai acalmar seu estômago." A frase é meio cretina, mas, nesse caso, é verdadeira.

— É, imagino que seja bom, mesmo. A verdade é que não estamos acostumados a esse tipo de comida. Oh, Bunny, você me assustou. O que é?

— Não encontro minhas aspirinas — disse a sra. Bunner, angustiada.

— Apanhe das minhas, meu bem; estão na minha mesinha de cabeceira.

— Tenho um vidro cheio na minha cômoda — disse Phillipa.

— Muito, muito obrigada. Se eu não achar as minhas... mas sei que as deixei em algum lugar. Um vidro novinho. Agora, meu Deus, onde é que o coloquei?

— Há milhões de aspirinas no banheiro — disse Julia, perdendo a paciência. — Esta casa está abarrotada de aspirinas!

— Fico tão envergonhada de viver perdendo tudo — lamentou-se a sra. Bunner, batendo em retirada e voltando a subir as escadas.

— Pobre Bunny — disse Julia, empunhando seu cálice. — Não seria melhor lhe dar um pouco de xerez?

— É melhor não, eu acho — disse a sra. Blacklock. — Ela já se agitou muito por hoje, e isso não lhe faz bem. Estou com medo de que passe mal amanhã. Mas, seja como for, pelo menos se divertiu bastante!

— Ela adorou tudo — disse Phillipa.

— Então vamos oferecer um cálice a Mitzi — propôs Julia.

— Ei, Pat — disse ela, vendo-o entrar pela porta lateral —, vá buscar Mitzi.

Assim, Mitzi apareceu, e Julia lhe serviu um cálice de xerez.

— À saúde da melhor cozinheira do mundo — disse Patrick.

Mitzi se sentiu emocionada — mas não perdeu a oportunidade para uma reclamação.

— Isso não é verdade. Eu não sou cozinheira. Em meu país, meu trabalho é intelectual.

— O que é um desperdício — comentou Patrick. — De que vale qualquer trabalho intelectual em face de uma obra-prima como a sua Delícia Fatal?

— Ahhh... eu já disse que odeio esse nome...

— Não adianta, garota — replicou Patrick. — Eu batizei assim, e assim ficará sendo chamado. Vamos brindar à Delícia Fatal, e que se danem as suas consequências.

III

— Phillipa, minha filha, quero falar com você.

— Pois não, sra. Blacklock.

Phillipa Haymes estava um tanto surpresa.

— Você está preocupada com alguma coisa, por acaso?

— Preocupada?

— Tenho achado que você anda diferente, ultimamente. Há algo de errado?

— Ora... não, sra. Blacklock. O que poderia haver de errado?

— Bom... eu só pensei. Talvez, você e Patrick...

— Patrick? — Phillipa ficou realmente surpresa.

— Se não houver nada, melhor. Desculpe se estou me metendo em sua vida. Mas vocês dois vivem muito próximos, aqui dentro desta casa... e, mesmo que Patrick seja meu primo, não creio que seja um tipo adequado de marido. Não tão cedo, pelo menos.

O rosto de Phillipa se congelara, despido de qualquer expressão.

— Eu não vou me casar novamente — disse ela.

— Isso é o que você pensa, minha filha. Você é moça. Mas não precisamos discutir isso. Não há mais problema. E você não estará preocupada com... com dinheiro, por exemplo?

— Não. Não preciso de nada.

— Eu sei que você pensa muito na educação do seu menino. Por isso, queria lhe dizer uma coisa. Eu fui hoje a Milchester, conversar com o sr. Beddingfeld, meu advogado. As coisas andam meio agitadas ultimamente, e pensei que seria bom fazer um novo testamento... em vista de certos acontecimentos. Fora um legado para Bunny, agora tudo vai para você, Phillipa.

— O quê? — Phillipa se sobressaltou. Seus olhos se arregalaram. Sua expressão era tanto de espanto quanto de medo. — Mas eu não quero... realmente, não quero... ah! eu preferia... E, de qualquer maneira, por quê? Por que para mim?

— Talvez — disse a sra. Blacklock, num tom estranho — porque não haja mais ninguém.

— Mas há. Patrick e Julia.

— Eu sei que há Patrick e Julia.

Persistia o tom estranho na voz da sra Blacklock.

— São seus parentes.

— Muito afastados. Não têm direito a coisa alguma.

— Mas... Mas eu também não tenho... não sei no que a senhora está pensando... ah, eu não quero!

Seu olhar tinha mais hostilidade do que gratidão. E o medo permanecia — em seus gestos, em sua voz.

— Eu sei o que faço, Phillipa. Fiquei gostando muito de você... E não se esqueça do menino... Você não herdará muito se eu morrer agora; mas, daqui a algumas semanas, será bem diferente.

Ela olhava Phillipa dentro dos olhos.

— Mas a senhora não vai morrer! — protestou a jovem.

— Não se eu puder evitá-lo, tomando as precauções que forem necessárias.

— Precauções?

— Exatamente. Pense nisso... e não se preocupe mais.

Ela saiu abruptamente da sala. Phillipa a ouviu falar com Julia, que entrou na sala de estar momentos depois.

Seus olhos tinham um brilho frio como o aço.

— Mexeu muito bem os seus pauzinhos, hein, Phillipa? Você é dessas caladinhas... quando menos se espera...

— Ela lhe disse...

— Não, mas eu ouvi. Ela queria que eu ouvisse.

— O que você quer dizer com isso?

— A nossa Letty não é boba... Bem, seja como for, você não tem mais problemas, Phillipa. Tudo ótimo para você, não é?

— Oh, Julia, eu... eu não quis... não queria...

— Não mesmo? Ora, claro que queria. Você não está bem de vida, está? Problemas com o dinheiro, eu sei. Mas lembre-se de uma coisa... se alguém liquidar a tia Letty agora, você será a suspeita número um.

— Não é verdade. Seria idiotice minha matá-la agora, porque... se eu esperasse...

— Então você sabe a história da velha não-sei-o-quê que está morrendo na Escócia? Ora, essa... Phillipa, estou começando a achar que você é mesmo muito espertinha...

— Eu não quero que você ou Patrick percam coisa alguma por minha causa.

— Não quer mesmo, meu bem? Desculpe... mas não acredito.

Capítulo 16
O inspetor Craddock de volta

I

O inspetor Craddock não dormira bem, em sua viagem de volta. Tivera mais pesadelos do que sonhos durante a noite. Vira-se correndo sem parar pelos corredores cinzentos de um velho castelo, numa tentativa desesperada de chegar a algum lugar ou de impedir alguma coisa, desde que chegasse a tempo. Finalmente, sonhou que acordara. Uma enorme sensação de alívio inundou sua mente. De repente, a porta de sua cabine se abriu lentamente, e Letitia Blacklock apareceu, com sangue a lhe escorrer pelo rosto. "Por que não me salvou? Você poderia ter me salvado, se quisesse", disse ela, em voz queixosa.

Então, ele acordou de verdade.

Sentiu-se bem melhor quando chegou a Milchester. Foi direto falar com Rydesdale, que ouviu atentamente o seu relatório.

— Não nos adianta muito — disse. — Mas confirma o que lhe disse a sra. Blacklock. Pip e Emma... hum... não sei...

— Patrick e Julia Simmons possuem a idade correspondente. Se pudéssemos confirmar que a sra. Blacklock não os viu desde quando eram crianças...

Com um sorriso, Rydesdale disse:

— A nossa aliada, Miss Marple, já fez isso para nós. A verdade é que a sra. Blacklock nunca pusera os olhos em qualquer um dos dois até dois meses atrás.

— Então, senhor, certamente...

— Não é tão fácil assim, Craddock. Eu também fiz algumas averiguações. Pelo que investigamos, Patrick e Julia não parecem estar metidos na tramoia. A ficha dele na Marinha é autêntica; e é uma ficha muito boa, exceto por uma certa tendência a "insubordinação". Fomos a Cannes e ouvimos a sra. Simmons afirmar, com a maior veemência, que evidentemente os seus dois filhos estão em Chipping Cleghorn com a sua prima Letitia Blacklock. Logo...

— E a sra. Simmons é de fato a sra. Simmons?

— Pelo menos tem sido há muitos anos, isso eu posso garantir — afirmou secamente Rydesdale.

— Então não há dúvidas. O caso é que... esses dois serviam. Idade certa. Não conheciam pessoalmente a sra. Blacklock. Se estávamos precisando achar Pip e Emma... bem, deviam ser eles.

O chefe de polícia balançou a cabeça, pensativo. Em seguida, passou uma folha de papel para Craddock.

— Aqui está uma coisa que descobrimos com relação à sra. Easterbrook.

O inspetor leu, levantando as sobrancelhas.

— Muito interessante — comentou. — Passou a perna no velho direitinho. Mas, que eu saiba, não tem qualquer relação com o nosso problema.

— Aparentemente, não.

— E isto aqui se refere à sra. Haymes.

Novamente se ergueram as sobrancelhas de Craddock.

— Acho que vou ter mais uma conversinha com essa senhora.

— Essa informação é importante, você acha?

— Pode ser. Uma chance pequena, é claro...

Os dois homens ficaram em silêncio por um instante.

— Como vai o trabalho de Fletcher, senhor?

— Fletcher anda muito ocupado. De comum acordo com a sra. Blacklock, deu uma busca de rotina na casa, mas não encontrou nada de importante. Além disso, apurou quem poderia ter oportunidade de lubrificar aquela porta. Verificou quem esteve na casa nos dias de saída daquela empregada estrangeira. O negócio é mais complicado do que pensávamos, porque ela costuma dar passeios diários. Geralmente, vai ao centro tomar um café na Bluebird. Assim, quando as senhoras Blacklock e Bunner saem, o que acontece todas as tardes, qualquer um pode entrar e sair da casa.

— E as portas ficam sempre destrancadas?

— Ficavam. Acho que agora não ficam mais.

— E o que Fletcher obteve? Quem esteve lá quando ninguém da família estava em casa?

— Praticamente todo mundo.

Rydesdale consultou uma folha de papel.

— A srta. Murgatroyd esteve lá levando uma galinha para aquecer uns ovos... É meio complicado, mas foi o que ela disse. Ela é muito confusa e caiu em uma porção de contradições, mas Fletcher acha que é uma questão de temperamento e não um sinal de culpa.

— Pode ser — concordou Craddock.

— Depois, temos a sra. Swettenham, que foi buscar um pouco de carne de cavalo que a sra. Blacklock deixou para ela na mesa da cozinha, porque a sra. Blacklock tinha ido naquele dia a Milchester, de carro, e sempre traz carne de cavalo para a sra. Swettenham. Deu para entender?

Craddock pensou.

— Por que a sra. Blacklock não deixou a carne em sua casa, quando passou por ela ao voltar de Milchester?

— Não sei, mas ela não o fez. A sra. Swettenham diz que ela (a sra. B.) sempre a deixa na mesa da cozinha, e que ela (a sra. S.) prefere ir apanhá-la quando Mitzi não está, porque Mitzi costuma ser muito mal-educada.

— Parece fazer sentido. E depois?

— Temos a srta. Hinchcliffe. Disse que não andava por lá ultimamente. Mas não é verdade. Mitzi a viu saindo pela porta lateral um dia, e foi vista também por uma tal sra. Butt, uma das vizinhas. Em consequência, a srta. H. admitiu que pode ser que tenha estado na casa e se esquecido depois. Não consegue lembrar o motivo. Provavelmente, segundo ela, apenas passou por lá.

— Meio esquisito.

— Tão esquisito quanto ela própria. Em seguida, temos a sra. Easterbrook. Estava levando seus lindos cachorrinhos para passear e apenas entrou para saber se a sra. Blacklock poderia lhe emprestar um molde de tricô, mas a sra. Blacklock não estava. Logo, ela ficou esperando ali.

— Imagino. Poderia estar bisbilhotando, ou então lubrificando uma porta. E o coronel?

— Foi lá uma vez com um livro sobre a Índia que a sra. Blacklock queria ler.

— Queria mesmo?

— Ela afirma que tentou valentemente escapar, mas não conseguiu e teve de aceitar o livro.

— Isso é verdade — suspirou Craddock. — Se alguém está realmente com vontade de nos emprestar um livro, é impossível escapar!

— Não sabemos se Edmund Swettenham andou por perto da casa. Ele não tem certeza de coisa alguma. Diz que esteve lá algumas vezes a pedido da mãe, mas acha que, ultimamente, não o tem feito.

— Em suma: nada de concreto.

— Isso mesmo.

Mas, sorrindo de leve, Rydesdale acrescentou:

— Miss Marple também não tem perdido tempo. Fletcher relata que ela tem tomado o café da manhã na Bluebird. Já foi tomar um cálice de xerez com Hinchcliffe & Murgatroyd, e chá em Little Paddocks. Esteve apreciando o jardim dos Swettenham... e foi conhecer as curiosidades indianas do coronel Easterbrook.

— Talvez ela possa confirmar o passado indiano do coronel.

— Realmente, ela deve saber... Diz que ele parece ser autêntico. Teremos de falar com o pessoal do Departamento do Extremo Oriente para ter certeza.

— E, enquanto isso... — Craddock fez uma pausa. — Acha que a sra. Blacklock concordaria em se afastar?

— Ir embora de Chipping Cleghorn?

— Exato. Talvez levar a fiel Bunner com ela, e partir com destino ignorado. Por que não ir à Escócia, visitar Belle Goedler? É um lugar bastante remoto.

— Ir para lá esperar que a velha morra? Não creio que ela concorde. Acho que mulher alguma aceitaria essa ideia.

— Mas, se for para salvar a própria vida...

— Vamos, Craddock! Não é tão fácil liquidar uma pessoa como você está pensando.

— Não?

— Bem... de certa forma é fácil, concordo. Há muitos métodos: veneno; uma cacetada na cabeça quando ela estiver tratando das galinhas ou um tiro de trás de uma moita. Mas matar alguém e escapar de suspeitas? Isso não é nada fácil. E todos devem saber que estão sob observação constante. O primeiro plano falhou. Nosso assassino desconhecido tem de arquitetar outro.

— Sei disso, senhor. Mas existe a questão do tempo. A sra. Goedler está morrendo, pode morrer a qualquer momento. Isso quer dizer que o nosso assassino não pode perder tempo. E outra coisa. Ele (ou ela) deve saber que estamos levantando o passado de todo mundo.

— E isso leva tempo — disse Rydesdale, com um suspiro. — Temos até de telegrafar para a Índia. É um trabalho monótono e demorado.

— Portanto, o assassino tem mais um motivo para se apressar. Tenho certeza, senhor, de que o perigo é bastante real. O que está em jogo é uma enorme fortuna. Se Belle Goedler morre...

Parou, vendo que um policial entrava.

— Legg está no telefone, senhor, falando de Chipping Cleghorn.

— Passe para o meu aparelho.

Observando o seu superior, o inspetor Craddock viu o seu rosto endurecer.

— Muito bem. — rosnou Rydesdale. — O inspetor Craddock vai para aí imediatamente.

Recolocou o fone no gancho.

— É... — Craddock não chegou a terminar a frase. Rydesdale sacudiu a cabeça.

— Não — disse ele. — É Dora Bunner. Queria tomar uma aspirina. Aparentemente, apanhou alguns comprimidos num vidro que estava na mesinha de cabeceira de Letitia Blacklock. Havia poucos no vidro. Ela apanhou dois e deixou um. O médico está mandando esse que sobrou para análise. Ele tem certeza de que não é aspirina.

— Ela está morta?

— Está. Foi encontrada morta na cama, nesta manhã. Morreu dormindo, diz o médico. Não acredita em morte natural, embora sua saúde fosse bastante precária. O seu palpite é de envenenamento por narcótico. A autópsia será hoje à noite.

— Comprimidos de aspirina no quarto de Letitia Blacklock. O nosso assassino é muito esperto. Patrick me contou que a sra. Blacklock jogou fora uma garrafa de xerez pela metade, abrindo uma nova. Não creio que pensasse em fazer o mesmo com um vidro de aspirinas. Quem terá estado na casa nos últimos dois dias? Os comprimidos não podem ter sido colocados há muito tempo.

Rydesdale levantou os olhos.

—Todos estiveram lá ontem — disse ele. — Uma festinha de aniversário para a sra. Bunner. Qualquer um poderia ter dado uma escapada para o segundo andar para fazer o servicinho. Por outro lado, qualquer um dos moradores teve muito mais oportunidades.

Capítulo 17
O álbum

I

Miss Marple já estava no portão, envolta em agasalhos, quando Bunch lhe entregou um envelope.

— Diga à sra. Blacklock — recomendou ela — que Julian sente muitíssimo por não poder ir, mas está assistindo um paroquiano agonizante em Locke Hamlet. Se ela quiser vê-lo, ele pode dar um pulo lá depois do almoço. Esse bilhete é sobre as providências para o enterro. Julian acha melhor quarta-feira, se a audiência do inquérito for na terça. Pobre Bunny. Só mesmo ela seria capaz de tomar um veneno destinado a outra pessoa... Até logo, querida. Espero que a senhora não se canse muito. Mas é que eu tenho de levar essa criança ao médico de uma vez.

Miss Marple garantiu que a caminhada não seria muito cansativa, e Bunch voltou correndo para dentro de casa.

Enquanto esperava pela sra. Blacklock na sala de estar, Miss Marple olhou em torno de si, pensando no que teria querido dizer Dora Bunner, naquela conversa na Bluebird, quando afirmara que Patrick tinha "feito alguma coisa com o abajur" para "fazer a luz se apagar". Qual abajur? E que "alguma coisa" ele poderia ter feito?

Certamente — Miss Marple decidiu — ela estava falando do pequeno abajur que ficava sobre a mesinha perto do arco que dividia a sala em duas. Dissera algo sobre um pastor ou uma pastora... e aquela era, de, fato, uma peça delicada de porcelana de Dresden, um pastor de casaco azul e calças cor-de-rosa, segurando o que antes fora um candelabro e agora havia sido adaptado à luz elétrica. A cúpula era de veludo liso, um pouco grande demais: quase ocultava a figura da base. O que mais dissera Dora Bunner? "Eu me lembro muito bem que era a pastora. E, no dia seguinte..." Bem, agora certamente era um pastor.

Miss Marple lembrou que, quando Bunch e ela tinham vindo para o chá, Dora Bunner dissera que o abajur era parte de um par. Claro: um pastor e uma pastora. E, no dia do assalto, fora a pastora — mas, no dia seguinte, estava a outra peça no lugar, a que estava ali agora, o pastor. Haviam sido trocadas durante a noite. E Dora Bunner, por alguma razão, ou sem razão alguma, acreditava que fora Patrick quem as trocara.

Por quê? Porque, se o abajur original fosse examinado, ficaria evidente como Patrick conseguira que as luzes se apagassem. Como ele o fizera? Miss Marple examinou com atenção o objeto à sua frente. O fio corria sobre a mesa e descia pelo lado, ficando a tomada na parede. O interruptor, em formato de pera, ficava no próprio fio. Nada disso ajudava Miss Marple, que não entendia nada de eletricidade.

"Onde estaria a pastora?", pensou ela. No quarto de guardados, jogada fora ou... onde era mesmo que Dora Bunner encontrara Patrick com uma pena e uma xícara cheia de óleo? No fundo do quintal? Miss Marple decidiu levar a questão ao conhecimento do inspetor Craddock.

Quando tudo começara, a sra. Blacklock acreditara que o seu sobrinho Patrick estaria por trás da colocação daquele anúncio no jornal. Frequentemente, essa espécie de convicção instintiva acaba por se justificar — ou, pelo menos, era no que Miss Marple acreditava. Porque, quando a gente conhece bem as pessoas, sabe as coisas que elas costumam pensar...

Patrick Simmons...

Um rapaz bonito. Encantador. Um jovem pelo qual as mulheres se sentiam atraídas, tanto as mais moças quanto as mais velhas.

O tipo de homem, quem sabe, igual ao que provocara uma paixão irresistível na irmã de Randall Goedler.

Poderia Patrick Simmons ser Pip? Mas ele estivera na Marinha durante a guerra. A polícia poderia descobrir isso com facilidade.

Só que... às vezes... algumas pessoas conseguem se passar por outras, com grande facilidade...

A porta se abriu, e a sra. Blacklock entrou. Parecia, na opinião de Miss Marple, muitos anos mais velha; toda a disposição de viver e a energia haviam desaparecido.

— Desculpe ter vindo incomodá-la — disse Miss Marple. — Mas o reverendo está com um paroquiano agonizante, e Bunch tinha que levar uma criança doente ao médico. Julian lhe mandou um bilhete.

Entregou o envelope à sra. Blacklock, que o abriu.

— Sente-se, Miss Marple — disse ela. — Foi muita bondade sua tê-lo trazido.

Ela leu o bilhete e acrescentou:

— O reverendo Harmon é um homem muito compreensivo. Não tenta oferecer um consolo inútil... Diga-lhe que estou de acordo com tudo. O seu... O seu hino favorito era "Lead, Kindly Light".

Parou, bruscamente.

— Não passo de uma estranha — disse Miss Marple, suavemente —, mas, se puder fazer...

De repente, Letitia Blacklock começou a chorar descontroladamente. A sua dor a dominava inteira, como algo avassalador e irremediável. Miss Marple permaneceu em silêncio.

Por fim, a sra. Blacklock ergueu a cabeça. Seu rosto estava inchado e manchado pelas lágrimas.

— Desculpe — disse. — Eu... Eu não pude me controlar. A perda que eu sofri... Ela... Ela era a minha única ligação com o passado, entende? A única que... que se lembrava. Agora, que ela se foi, estou tão sozinha...

— Sei o que a senhora quer dizer — disse Miss Marple. — A gente realmente fica sozinha quando se vai a última pessoa que tem as mesmas recordações. Eu tenho sobrinhos e sobrinhas e bons amigos; mas não há mais ninguém que se lembre de mim quando menina... ninguém que pertença aos velhos tempos. Há muito tempo que estou sozinha assim.

As duas mulheres permaneceram em silêncio por algum tempo.

— A senhora compreende muito bem — disse Letitia Blacklock, levantando-se e se dirigindo à escrivaninha. — Preciso escrever algumas palavras ao reverendo Harmon.

Segurou a caneta desajeitadamente e escreveu com lentidão.

— Artrite — explicou. — Às vezes, mal consigo escrever.

Fechou o envelope e o endereçou.

— Seria muita bondade sua entregá-lo para mim.

Ouvindo uma voz fora da sala, disse, apressada:

— Deve ser o inspetor Craddock.

Aproximou-se do espelho sobre a lareira e aplicou um pouco de pó no rosto.

Craddock entrou. Sua expressão era fechada, dura.

Olhou para Miss Marple com desaprovação.

— Oh — disse. — Então a senhora está aqui.

A sra. Blacklock se afastou da lareira.

— Miss Marple veio trazer um bilhete do reverendo Harmon.

— Eu já estava de saída — disse Miss Marple, corando. — Por favor, não quero atrapalhar o seu trabalho.

— A senhora esteve aqui ontem, no chá?

— Não... Não estava — respondeu Miss Marple, sem jeito. — Bunch me levou para visitar uns amigos.

— Então, não há nada que possa acrescentar.

Craddock segurou a porta aberta, num gesto sem qualquer sutileza, e Miss Marple escapuliu por ela, bastante encabulada.

— Essas mulheres são umas bisbilhoteiras — comentou Craddock.

— Acho que o senhor está fazendo uma injustiça — disse a sra. Blacklock. — Ela realmente veio trazer um bilhete.

— Acredito.

— Não acho que tenha vindo só por curiosidade.

— Talvez tenha razão, sra. Blacklock, mas o meu diagnóstico é de um ataque sério de bisbilhotice aguda...

— É uma pobre velha inofensiva — replicou a sra. Blacklock.

"Perigosa como uma cascavel. Se a senhora soubesse...", pensou Craddock, embora não tivesse a menor intenção de revelar o fato, sem necessidade. Agora que tinha certeza absoluta de que havia um assassino à solta, sentia que, quanto menos falasse, melhor. Não queria que Jane Marple fosse a próxima vítima.

Em alguma parte, um assassino... Mas onde?

— Não vou perder tempo com pêsames, sra. Blacklock — disse ele. — Para falar a verdade, a morte da sra. Bunner me abalou muito. Nós devíamos ter dado um jeito de impedi-la.

— Não sei o que poderiam ter feito.

— Não... realmente, não seria fácil. Mas, agora, temos de trabalhar depressa. Quem estará fazendo isso, sra. Blacklock? Quem será que já fez duas tentativas de assassiná-la e acabará conseguindo, se não agirmos depressa?

Letitia Blacklock estremeceu.

— Não sei, inspetor... não faço a menor ideia.

— Conversei com a sra. Goedler. Ela me deu todo o auxílio que pode. Não foi muita coisa. Há um número muito pequeno de pessoas que se beneficiaria com a sua morte. Em primeiro lugar, Pip e Emma. Patrick e Julia Simmons são da idade certa, mas o passado de ambos parece ser autêntico. Seja como for, não podemos nos concentrar apenas neles. Diga-me, sra. Blacklock, a senhora reconheceria Sonia Goedler se a visse?

— Reconhecer Sonia? Ora, naturalmente... — Ela parou, de súbito. — Não — disse, pausadamente —, acho que não. Faz tanto tempo... trinta anos... Ela seria uma mulher de idade, agora.

— Como era ela quando a viu pela última vez?

— Sonia? — A sra. Blacklock pensou por um momento. — Ela era pequena, morena...

— Alguma característica especial? Maneirismos?

— Não, acho que não. Era alegre... muito alegre.

— Pode não ser muito alegre hoje em dia — disse o inspetor.
— Tem alguma fotografia dela?
— De Sonia? Deixe-me pensar... uma boa foto, não. Tenho alguns instantâneos... num álbum, que está por aí... pelo menos, acho que tenho um dela.
— Ah. Posso vê-lo?
— Claro. Agora, onde é que eu coloquei aquele álbum?
— Diga-me, sra. Blacklock, acredita, hipoteticamente, que a sra. Swettenham possa ser Sonia Goedler?
— A sra. Swettenham? — A sra. Blacklock o olhou com enorme espanto. — Mas o marido dela era funcionário do governo... primeiro na Índia, depois em Hong Kong, eu acho.
— A senhora sabe apenas o que ela lhe contou. Como se diz em linguagem forense, não sabe de seu próprio conhecimento, não é?
— Não — disse a sra. Blacklock, devagar. — Realmente não sei... Mas a sra. Swettenham? Ora, é absurdo!
— Sonia Goedler se interessava por teatro? Era atriz amadora, por acaso?
— Ah, sim. E muito boa.
— Está vendo? Há outra coisa: sra. Swettenham usa peruca. Ou pelo menos — o inspetor emendou — a sra. Harmon diz que ela usa.
— É... realmente parece ser uma peruca. todas aquelas mechas cinzentas. Mas ainda acho absurdo. Ela é muito boa pessoa, mesmo, e às vezes muito engraçada, até.
— Temos, então, as senhoritas Hinchcliffe e Murgatroyd. Alguma delas poderia ser Sonia Goedler?
— A srta. Hinchcliffe é muito alta, parece um homem.
— E a srta. Murgatroyd?
— Ora, mas... não, não, tenho certeza absoluta de que ela não poderia ser Sonia.
— A senhora não enxerga bem, não é?
— Sou míope, se é isso que quer saber.
— Entendo. De qualquer maneira, eu gostaria de ver esse instantâneo de Sonia Goedler, mesmo que seja antigo e não se

pareça muito com ela. Nós somos profissionalmente treinados para identificar características fisionômicas, percebe?

—Vou procurá-lo para o senhor, então.

— Agora?

— Se o senhor fizer questão.

— Prefiro.

— Muito bem. Deixe-me pensar. Eu vi aquele álbum quando estávamos arrumando uns livros no armário de guardados. Julia estava me ajudando. Ela riu muito com as roupas que usávamos naquela época... Os livros, nós levamos para a prateleira da sala. Agora, onde foi que guardamos o álbum e aqueles volumes encadernados do *Art Journal*? Que memória horrível, essa minha! Talvez Julia se lembre. Ela está em casa hoje.

—Vou procurá-la.

O inspetor saiu. Não encontrou Julia em nenhum dos cômodos do andar térreo. Mitzi, interrogada quanto ao seu paradeiro, afirmou, com ar zangado, que não era de sua conta.

— Eu? Fico na cozinha fazendo almoço. E não como nada que eu mesma não tenha feito. Nada, nada, nada.

O inspetor chamou, ao pé da escada: "Srta. Simmons!", e, não obtendo resposta, subiu.

Deu de cara com Julia ao dobrar para a esquerda no patamar superior. Ela estava saindo de uma porta atrás da qual se via uma estreita escada em caracol.

— Eu estava no sótão — explicou. — O que foi?

O inspetor Craddock explicou.

— Aqueles velhos álbuns de fotos? Eu me lembro, sim. Nós os colocamos no armário do estúdio, eu acho. Vamos ver.

Ela o precedeu na escada e, embaixo, entrou no estúdio. Perto da janela, havia um amplo armário. Julia o abriu, mostrando uma massa heterogênea de guardados.

— Lixo — disse ela. — Tudo isso é lixo. Mas pessoas de certa idade simplesmente não sabem jogar as coisas fora.

O inspetor se ajoelhou e apanhou um par de velhos álbuns na prateleira inferior.

— São estes?
— São.
A sra. Blacklock entrou e se juntou a eles.
— Ah!, então foi aí que os guardamos. Eu não conseguia me lembrar.
Craddock pôs os álbuns sobre a mesa e começou a folheá-los. Era uma série infindável de mulheres em imensos chapéus, com vestidos roçando o chão. As fotos tinham legendas em elegantes letras de forma, mas a tinta estava velha e apagada.
— Deveria ser neste — disse a sra. Blacklock. — Na segunda ou terceira página. O outro álbum é posterior ao casamento de Sonia.
Ela virou uma página.
— Deveria estar aqui.
Parou.
Havia diversos espaços vazios na página. Craddock se inclinou e decifrou a escrita apagada.
"Sonia... eu... R.G." Um pouco adiante, "Sonia e Belle na praia". E, na página seguinte, "Piquenique em Skeyne". Craddock virou a folha. "Charlotte, eu, Sonia, R.G."
Ele se levantou. Seus lábios estavam apertados, mal contendo sua irritação.
— Alguém retirou as fotografias daqui, e não creio que tenha sido há muito tempo.
— Não havia espaços em branco quando as vimos no outro dia, não é, Julia?
— Não olhei com muita atenção... só reparei nos vestidos. Mas... tem razão. Tia Letty, não havia espaços em branco.
Craddock fechou ainda mais o rosto.
— Alguém retirou todas as fotos de Sonia Goedler deste álbum.

Capítulo 18
As cartas

I

— Desculpe por aborrecê-la de novo, sra. Haymes.

— Não tem importância — disse Phillipa, secamente.

— Vamos para cá, por favor.

— O estúdio? Faz questão, inspetor? É muito frio, aqui. Não há lareira.

— Não importa... não é por muito tempo. E, aqui, ninguém pode ouvir nossa conversa.

— Isso faz diferença?

— Para mim, não, sra. Haymes. Para a senhora, talvez.

— Como assim?

— Que bem me lembre, a senhora me contou que o seu marido foi morto em ação na Itália.

— Isso mesmo.

— Não seria mais simples ter dito a verdade? Que ele desertou do seu regimento?

Ele notou que o seu rosto empalidecia, enquanto cerrava os punhos com força. Com amargura na voz, ela disse:

— O senhor precisava revirar tudo?

— Contamos que as pessoas nos digam a verdade — respondeu Craddock, com secura.

Ela permaneceu em silêncio por um momento, antes de replicar:

— E daí?

— O que a senhora quer dizer com isso, sra. Haymes?

— Quero dizer, o que o senhor vai fazer a respeito? Contar a todo mundo? Será necessário... ou justo... ou caridoso?

— Ninguém sabe?

— Aqui não. Harry — a sua voz se transformou —, o meu filho, ele não sabe. Não quero que saiba. Não quero que saiba... nunca.

— Então, permita que lhe diga que está correndo um grande risco, sra. Haymes. Quando o menino tiver idade bastante para compreender, conte-lhe a verdade. Se ele descobrir sozinho, algum dia... não será bom para ele. Se a senhora insistir em lhe encher a cabeça sobre os atos de heroísmo do pai...

— Eu não faço isso. Não sou inteiramente desonesta. Apenas não falo sobre ele. O pai dele... foi morto na guerra. Afinal, é praticamente verdade, para... para nós.

— Mas o seu marido ainda está vivo?

— Talvez. Como vou saber?

— Quando o viu pela última vez, sra. Haymes?

— Não o vejo há anos — disse Phillipa, de um fôlego só.

— Tem certeza de que isso é verdade? Não esteve com ele, por acaso, há uns 15 dias?

— O que o senhor está querendo dizer?

— Nunca acreditei muito em seu encontro com Rudi Scherz no pavilhão do jardim. Mas Mitzi não parecia estar mentindo. Tenho a impressão, sra. Haymes, de que o homem que se encontrou com a senhora naquela manhã era o seu marido.

— Não me encontrei com ninguém no pavilhão.

— Talvez ele estivesse precisando de dinheiro... e a senhora lhe emprestou algum?

— Não estive com ele, não entende? Não me encontrei com ninguém no pavilhão.

— Muitas vezes, desertores são homens desesperados. É comum participarem de assaltos. Não sabia? Assaltos à mão armada, inclusive. E não seria de estranhar que um desertor usasse uma arma de fabricação estrangeira, que tivesse trazido da trincheira.

— Não sei onde está o meu marido. Não o vejo há anos.

— É a sua última palavra, sra. Haymes?

— Não tenho mais nada a dizer.

II

Craddock saiu de sua conversa com a sra. Haymes sentindo-se confuso e irritado.

—Teimosa como uma mula — disse para si mesmo, zangado.

Tinha praticamente certeza de que Phillipa estava mentindo, mas era impossível vencer a barreira de suas negativas.

Ele gostaria de saber um pouco mais sobre o ex-capitão Haymes. Suas informações eram escassas. Uma ficha militar negativa, mas sem coisa alguma que sugerisse tendências criminosas.

De todo modo, Haymes não se encaixava com o fato de a porta ter sido lubrificada. Alguém da casa fizera aquilo, ou alguém com livre acesso à casa.

Craddock estava de pé ao lado da escada. De repente lembrou-se de Julia, descendo do sótão. O que estivera fazendo lá? Um sótão, pensou ele, não era um lugar adequado para uma esnobe do calibre de Julia.

O que estivera fazendo lá?

Subiu rapidamente os degraus de entrada. Não havia qualquer pessoa por perto. Abriu a porta pela qual Julia saíra e seguiu pela escada em caracol.

O sótão era uma confusão de velhos baús e malas, móveis quebrados, uma cadeira sem uma perna, um abajur de porcelana quebrado, parte de um serviço de jantar.

Escolhendo um dos baús, ele abriu sua tampa.

Roupas. Roupas femininas, fora de moda mas de boa qualidade. Deviam ser da sra. Blacklock ou de sua falecida irmã.

Abriu outro baú.

Cortinas.

Passou para uma pequena pasta de couro. Continha documentos e cartas. Cartas muito antigas, amareladas pelo tempo.

Reparou que, do lado de fora da pasta, estavam gravadas as iniciais CLB. Deduziu, corretamente, que deveriam ser da irmã de Letitia, Charlotte. Abriu uma das cartas. Começava:

> *Querida Charlotte,*
> *Ontem Belle sentiu-se melhor e saímos para um piquenique. RG também não trabalhou. O negócio de Asvogel foi melhor do que esperávamos, e RG está satisfeitíssimo. As ações preferenciais subiram muito.*

Ele passou por cima do resto e olhou a assinatura: "Sua irmã, Letitia."

Apanhou outra.

> *Querida Charlotte,*
> *Gostaria muito se você se decidisse a sair da concha. Você está exagerando e sabe muito bem disso. Não é tão grave quanto você pensa... E, realmente, as pessoas não prestam atenção em coisas assim. Você não está desfigurada como acha que está.*

Ele balançou a cabeça. Lembrava-se do que Belle Goedler dissera sobre Charlotte Blacklock ter uma deformidade ou um defeito qualquer. E Letitia tivera de deixar o seu trabalho para se dedicar à irmã. Aquelas cartas mostravam bem a sua ansiedade e a sua afeição em relação à inválida. Ela enviara à irmã longas narrativas sobre os acontecimentos diários, com todos os detalhes que, imaginava, pudessem interessar à jovem enferma. E Charlotte guardara as cartas. Às vezes, elas vinham acompanhadas de fotos.

Subitamente, Craddock se sentiu tomado por uma onda de otimismo. Talvez ali houvesse uma pista. Naquelas cartas haveria coisas de que Letitia Blacklock há muito se esquecera. Ali estava um fiel retrato do passado e, em algum ponto, poderia haver uma pista que o ajudasse a identificar o desconhecido. Até fotografias poderia encontrar. Poderia haver, no maço de cartas, alguma foto de Sonia Goedler ignorada pela pessoa que tirara do álbum todas as outras.

O inspetor Craddock guardou todas as cartas na pasta, cuidadosamente, e desceu a escada.

Letitia Blacklock, que estava parada no patamar, olhou-o com espanto.

— Era o senhor que estava no sótão? Ouvi seus passos lá em cima. Não sabia...

— Sra. Blacklock, encontrei algumas cartas, escritas pela senhora para sua irmã Charlotte, há muitos anos. Quero a sua permissão para levá-las e lê-las.

— Isso é mesmo necessário? — perguntou ela, num rompante de irritação. — Por quê? De que lhe servirá isso?

— Podem me ajudar a formar um perfil de Sonia Goedler, de sua personalidade... pode haver incidentes... ou alusões... qualquer coisa que ajude.

— São cartas particulares, inspetor.

— Eu sei.

— Imagino que o senhor vá levá-la de qualquer maneira... deve ter autoridade para isso. Leve-as, então... leve-as de uma vez! Mas encontrará muito pouco sobre Sonia. Quando ela se casou e foi embora, eu só trabalhava para Randall Goedler havia um ou dois anos.

— Pode haver alguma coisa — insistiu Craddock, com teimosia, acrescentando: — Temos de tentar por todos os ângulos. Estou convencido de que o perigo é bastante grande.

— Eu sei — disse ela, mordendo os lábios. — Bunny morreu... porque tomou um comprimido que era para mim. Na próxima vez, pode ser Patrick, Julia, Phillipa ou Mitzi... alguém jovem, com toda a vida pela frente. Alguém que beba um copo de vinho servido para mim ou um bombom que eu tenha recebido de presente. Ah!, Leve essas cartas, leve de uma vez! E, depois, pode queimá-las. Não significam coisa alguma para pessoa alguma, a não ser

Charlotte e eu. Só falam de coisas que já acabaram, do passado... de que ninguém mais se lembra...

Sua mão subiu até o colar de pérolas falsas, de diversas voltas, que usava colado ao pescoço. Craddock pensou em como a joia combinava pouco com sua saia e seu casaco de *tweed*.

Mais uma vez, ela disse:

— Leve essas cartas.

III

Na tarde seguinte, o inspetor fez uma visita à casa paroquial.

Era um dia escuro, de muito vento.

Miss Marple estava sentada bem perto do fogo, tricotando. Bunch se arrastava de quatro pelo chão, cortando moldes de costura.

Ela ergueu o busto e afastou uma mecha de cabelos dos olhos, esperando que Craddock falasse.

— Não sei se estou abusando da confiança alheia — disse o inspetor, dirigindo-se a Miss Marple —, mas gostaria que a senhora lesse esta carta.

Ele explicou a descoberta que fizera no sótão e acrescentou:

— É um conjunto de cartas um tanto comoventes. A sra. Blacklock falava sobre todos os assuntos, sempre na esperança de despertar o interesse da irmã pela vida. Elas nos ajudam, também, a ter uma boa ideia do velho pai, o dr. Blacklock. Um velho ranzinza e teimoso, irredutível, convencido de que tudo o que pensava e dizia era sempre certo. É bem capaz de ter causado a morte de muitos pacientes com a sua obstinação. Não admitia qualquer ideia ou método modernos.

— Francamente, não penso muito diferente dele — disse Miss Marple. — Sempre achei esses médicos jovens muito novidadeiros. Fazem a gente arrancar todos os dentes, tomar uma porção de remédios estranhos e acabam por nos tirar as tripas, antes de confessar que não sabem o que a gente tem. Eu prefiro os remédios antiquados, naqueles vidros escuros de farmácia. No pior dos casos, sempre podemos jogá-los no lixo.

Ela apanhou a carta que Craddock lhe estendia.

— Quero que a senhora a leia, porque acho que deve entender melhor essa geração do que eu. Talvez consiga ler alguma coisa entre as linhas...

Miss Marple desdobrou a frágil folha de papel.

Querida Charlotte,
Não escrevo há dois dias porque temos enfrentado enormes problemas em casa. Sonia, a irmã de Randall (lembra-se dela, quando foi apanhar você de carro naquele dia? Ah, eu gostaria tanto que você saísse mais de casa...), Sonia anunciou que vai se casar com um tal de Dmitri Stamfordis. Só o vi uma vez. Muito bonito, mas não o achei muito digno de confiança. RG está uma fera, e diz que ele é um espertalhão, um vigarista. Belle, coitada, só faz sorrir, recostada no sofá. E Sonia, apesar daquele ar frio (ela tem um gênio terrível), está zangadíssima com RG. Ontem, cheguei a pensar que ela o mataria!

Fiz o que pude. Falei com Sonia e falei com RG. Consegui acalmá-los um pouco; quando foram conversar de novo, a briga começou igualzinha como antes! Você não tem ideia de como essa situação pode exaurir uma pessoa. RG mandou enquirir sobre esse Stamfordis — e parece que realmente não é flor que se cheire.

Enquanto isso, ninguém pensa nos negócios, que ficam todos na minha mão. Até que é bom, porque RG me dá toda a autonomia. Ontem ele me disse: "Ainda bem que existe alguém com a cabeça no lugar. Você não vai se apaixonar por um vigarista, não é, Blackie?" Respondi que certamente não ia me apaixonar por ninguém. Ele prometeu: "Vamos dar uns sustos nesse pessoal da bolsa." Às vezes, ele é terrível, e sempre se arrisca muito. "Pelo visto, você nunca me deixará fazer bobagens, hein, Blackie?", ele me disse, na semana passada. E não deixarei, mesmo! Não entendo como uma pessoa não possa ver quando alguma coisa é desonesta, mas RG realmente não vê! Ele só sabe o que é abertamente contra a lei.

No meio de toda essa confusão, Belle se diverte. Ela acha que é bobagem toda essa preocupação com Sonia. "Sonia tem o próprio dinheiro", diz ela. "Por que não haveria de se casar com aquele homem, se é o que quer?" Eu comentei que poderia ser um erro terrível, mas Belle respondeu: "Nunca é um erro uma pessoa se casar com um homem que ame, mesmo que depois venha o arrependimento." Depois, ela disse que Sonia só não tinha rompido ainda com Randall por causa do dinheiro. "Sonia gosta muito de dinheiro", ela disse.

Chega, por ora. Como vai papai? Não digo que sinta saudades dele. Mas pode lhe dizer que sinto, se achar que vale a pena. Você tem saído? Procure não ser muito mórbida, meu bem.

Sonia lhe manda lembranças. Acabou de entrar, e está aqui perto, abrindo e fechando as mãos, como um gato zangado afiando as unhas. Acho que ela e RG tiveram outra briga. Eu sei que Sonia pode ser muito irritante, às vezes. Ela tem um olhar frio que faz o sangue da gente gelar nas veias.

Um milhão de beijos, e muito ânimo! O tratamento com iodo pode dar muito resultado. Andei enquirindo, e soube de coisas muito positivas sobre ele.

Sua irmã,
Letitia.

Miss Marple dobrou a carta e a devolveu. Parecia distraída com alguma coisa.

— Então, o que acha? — perguntou Craddock. — Que impressão lhe deu?

— De Sonia? É muito difícil, sabe, ver uma pessoa através dos olhos de outra... Uma mulher determinada a conseguir as coisas do seu jeito, quanto a isso acho que não há dúvida. Buscando sempre o melhor dos dois mundos...

— "Abrindo e fechando as mãos, como um gato zangado" — murmurou Craddock. — Sabe, isso me faz lembrar alguém...

Ele franziu a testa, concentrado.

— "Mandou enquirir"... — disse Miss Marple, quase para si mesma.

— Se conseguíssemos encontrar o resultado dessas investigações... — comentou Craddock.

— Por acaso essa carta a faz lembrar de alguém em St. Mary Mead? — perguntou Bunch, com a boca cheia de alfinetes.

— Não tenho certeza, meu bem... o dr. Blacklock realmente parece um pouco com o sr. Curtiss, aquele pastor. Ele não deixava a filha colocar aparelho nos dentes. Dizia que era a vontade de Deus que ela fosse dentuça. "Por outro lado", eu lhe disse, "o senhor apara a sua barba e corta o cabelo". Ele respondeu que era uma questão inteiramente diferente. Os homens são sempre assim! Enfim, isso não nos ajuda em nada com o nosso problema.

— Até hoje não identificamos a origem daquele revólver. Não era de Rudi Scherz. Se ao menos soubéssemos quem possui um revólver, aqui em Chipping Cleghorn...

— O coronel Easterbrook tem um. Ele o guarda na sua gaveta de colarinhos — disse Bunch.

— Como sabe disso, sra. Harmon?

— A sra. Butt me contou. Ela trabalha para mim, como diarista. Isto é, duas vezes por semana. Disse que ele, sendo militar, era natural que tivesse uma arma, que poderia ser muito útil caso ladrões aparecessem.

— Quando ela lhe contou isso?

— Há muito tempo. Acho que uns seis meses atrás.

— Mas o coronel Easterbrook? — murmurou Craddock.

— Parece até uma daquelas roletas de parques de diversões, não parece? A agulha roda, roda, e cada vez aponta para uma coisa diferente — comentou Bunch, ainda falando com a boca cheia de agulhas.

— Pois é... esse é o problema — gemeu Craddock. — O coronel Easterbrook esteve em Little Paddocks no outro dia, para deixar um livro. Poderia ter aproveitado para lubrificar a porta. Mas ele admitiu abertamente que tinha ido lá. Não foi como a srta. Hinchcliffe.

— É preciso levar em conta os tempos em que vivemos — disse suavemente Miss Marple.

Craddock a encarou sem entender.

— Afinal de contas, o senhor é da polícia — explicou ela. — As pessoas não podem dizer tudo o que sabem à policia, não é mesmo?

— Não sei por quê — replicou Craddock. — A não ser que tenham algo de criminoso a esconder.

— Ela está falando de manteiga — disse Bunch, esgueirando-se até a quina da mesa para ancorar um pedaço de papel que ameaçava voar. — Manteiga, milho, galinhas, algumas vezes creme de leite, até bacon, de vez em quando.

— Mostre-lhe aquele bilhete da sra. Blacklock — disse Miss Marple. — Já é um pouco antigo, mas parece saído de uma história de detetive.

— Ora, onde foi que o meti? É este aqui, tia Jane?

Miss Marple apanhou o pedaço de papel e o examinou.

— Este mesmo — disse, satisfeita. — É este.

Entregou-o ao inspetor.

"Andei inquirindo — o dia é quinta-feira", escrevera a sra. Blacklock. "A qualquer hora depois das três. Se houver um pouco para mim, deixe no lugar de costume."

Bunch riu, fazendo voar pela sala um punhado de alfinetes. Miss Marple observava o rosto do inspetor. Foi a mulher do vigário quem explicou:

— Quinta-feira é o dia em que uma das fazendas aqui perto costuma fazer manteiga. Eles reservam um pouco para os amigos. Normalmente, é a srta. Hinchcliffe quem vai buscar. Ela conhece quase todos os fazendeiros, acho que por causa da sua criação de porcos. Mas é tudo meio sigiloso, entende, uma espécie de bolsa de trocas privada. Quem recebe manteiga dá pepinos, ou algo parecido, às vezes até dinheiro, quando se mata um porco. De vez em quando, um animal sofre um acidente e tem de ser sacrificado. Ora, o senhor deve saber dessas coisas. Só que não fica bem falar sobre isso com a polícia. Eu imagino que muitas dessas trocas sejam ilegais... Ninguém sabe ao certo, os regulamentos são tão complicados![9] O que deve ter acontecido é que Hinch levou um pacote de manteiga a Little Paddocks e o colocou no lugar de costume. Existe um depósito de farinha no corredor que está sempre vazio, e o lugar é lá.

Craddock suspirou.

— Ainda bem que vim conversar com as senhoras — disse.

— Também há o caso dos cupons de roupas — continuou Bunch. — Ninguém os vende... Isso não é considerado honesto. Mas, se a sra. Butt ou a sra. Finch gostarem de um vestidinho de lã ou de um casaco não muito usados, elas os pagam com cupons em vez de dinheiro.

— É melhor não me contar mais nada — disse Craddock. — Tudo isso é contra a lei.

— Não deviam existir essas leis bobas — disse Bunch, enchendo novamente a boca de alfinetes. — Eu não faço nada disso, é claro, porque Julian não gosta, mas sei de tudo o que acontece.

O inspetor mostrava, pela expressão em seu rosto, que começava a ser dominado pelo desânimo.

— Tudo por aqui tem um ar tão agradável, tão corriqueiro — disse ele. — Uma vida pitoresca, simples. No entanto, uma mulher e um rapaz foram mortos, e outra mulher pode morrer sem que eu consiga nada de concreto. Agora, não estou me preocupando com Pip e Emma. Vou me concentrar em Sonia. Gostaria de saber como ela era. Havia umas duas fotos com estas cartas, mas nenhuma era dela.

— Como sabe disso? O senhor sabe como ela se parecia?

— Ela era uma mulher baixa e morena, segundo a sra. Blacklock.

— É mesmo? — perguntou Miss Marple. — Isso é muito interessante.

---

[9] As restrições a que a sra. Harmon alude fazem parte dos sacrifícios e do racionamento generalizado impostos à Inglaterra no esforço de reconstrução do pós-guerra. (N. da T.)

— Havia um instantâneo que me lembrava vagamente de alguém. Uma moça alta e loura, com o cabelo todo penteado para cima. Não sei quem poderia ser. Seja como for, não deve ser Sonia. Acha que a sra. Swettenham pode ter sido morena quando jovem?

— Muito morena não poderia ser — disse Bunch. — Ela tem olhos azuis.

— Eu tinha esperanças de encontrar uma foto de Dmitri Stamfordis, mas isso já seria sorte demais... Bem — arrematou Craddock, guardando a carta —, é uma pena que isso não lhe tenha dado alguma pista, Miss Marple.

— Ah, mas deu! — exclamou ela. — Pelo menos alguns indícios. Leia-a de novo, inspetor... principalmente a parte que fala das inquirições que Randall Goedler mandou fazer.

Craddock a encarou sem compreender.

O telefone tocou.

Bunch se levantou e foi atendê-lo no saguão onde, segundo a boa tradição vitoriana, ele havia sido instalado.

Pouco depois, voltava.

— É para o senhor.

Um tanto surpreso, Craddock foi atender, tendo o cuidado de fechar a porta da sala de estar atrás de si.

— Craddock? É Rydesdale.

— Sim, senhor.

— Estive examinando o seu relatório. Em sua conversa com Phillipa Haymes, vejo que ela afirma que não esteve com o marido desde que ele desertou do Exército.

— Isso mesmo, senhor. Ela insistiu nisso com demasiada ênfase. Mas, em minha opinião, não dizia a verdade.

— Eu concordo. Lembra-se de um caso, há uns dez dias, de um homem atropelado por um caminhão, que deu entrada no hospital de Milchester com uma concussão e a pélvis fraturada?

— Não foi um sujeito que se jogou na frente do veículo para salvar uma criança e acabou atropelado em seu lugar?

— Esse mesmo. Não tinha documentos, e ninguém apareceu para identificá-lo. Parecia um fugitivo. Ele morreu ontem à noite, sem voltar a si. Mas foi identificado: um desertor, Ronald Haymes, ex-capitão do regimento de South Loamshire.

— O marido de Phillipa Haymes?

— Exato. Tinha uma passagem do ônibus de Chipping Cleghorn no bolso, por sinal, e bastante dinheiro.

— Então, ele conseguiu dinheiro com a mulher? Sempre pensei que fora ele o homem que Mitzi surpreendeu conversando com ela no quiosque do jardim. Ela nega de pés juntos, naturalmente. Mas, senhor, o acidente foi anterior...

Rydesdale lhe tirou as palavras da boca:

— Isso mesmo. Ele deu entrada no hospital no dia 28. O assalto foi no dia 29. Isso o exclui de qualquer conexão com o caso. Mas é claro que a mulher não sabia do acidente. Ela pode estar pensando até agora que ele estava metido na história. É natural que não dissesse nada... afinal, ele era o seu marido.

— Foi um gesto bastante bonito, não foi, senhor? — perguntou Craddock, sério.

— Salvar aquela criança do caminhão? Foi, sim. Muito corajoso. Não creio que Haymes tenha desertado por covardia. Enfim, isso já é passado. Para um homem que tinha sujado a ficha daquela maneira, foi uma bela maneira de morrer.

— Fico contente por ela — disse o inspetor. — E pelo filho deles.

— É... Esse não vai precisar se envergonhar do pai. E ela poderá se casar novamente.

— Eu estava pensando nisso, senhor... — disse Craddock, pausadamente. — Abre algumas possibilidades novas.

— Já que você está aí, é melhor que lhe dê a notícia.

— Sim, senhor. Vou procurá-la agora. Ou talvez seja melhor esperar que volte para casa. Pode ter um choque... e há outra pessoa com quem preciso falar.

Capítulo 19
Reconstituição do crime

I

—Vou deixar uma lâmpada acesa antes de sair — disse Bunch. — Está muito escuro aqui. Acho que vai chover.

Levou o pequeno abajur para o outro extremo da mesa para iluminar o tricô de Miss Marple, que estava sentada numa imensa cadeira de espaldar reto.

Quando viu o fio se esticando sobre a mesa, Tiglath Pileser, o gato, pulou sobre ele, mordendo-o e o agarrando com violência.

— Pare com isso, Tiglath Pileser, agora mesmo... É terrível, esse gato. Veja só, quase partiu o fio; está quase desencapado. Seu gato bobo, você não percebe que assim acaba levando um choque?

— Obrigada, meu bem — disse Miss Marple, esticando o braço para acender a lâmpada.

— Não é aí. Tem um interruptor na metade do fio. Espere um instante. Vou retirar essas flores da frente.

Quando Bunch ergueu o pequeno jarro com as rosas, Tiglath Pileser, balançando o rabo, esticou uma pata travessa e arranhou seu braço. Um pouco de água caiu do jarro, indo parar sobre a parte rota do fio e sobre o próprio Tiglath, que, miando indignado, pulou para o chão.

Miss Marple acionou o pequeno interruptor. No ponto em que a água molhara o fio, houve um pequeno estalido e um lampejo.

— Ah, meu Deus — disse Bunch. — Deve ter queimado o fusível. Acho que a sala inteira está sem luz agora.

Ela experimentou alguns interruptores.

— Isso mesmo. Não deviam ser todos ligados na mesma chave, não é? E ainda deixou um chamuscado na mesa. Esse Tiglath Pileser... A culpa é toda dele. Tia Jane... o que foi? A senhora se assustou?

— Não é nada, minha filha, só que fiz uma descoberta que já deveria ter feito há muito tempo...

—Vou trocar o fusível e apanhar uma lâmpada no escritório de Julian.

— Não, meu bem, não se incomode. Você vai perder o ônibus. Não preciso mais da luz. Só quero ficar aqui um instante... e pensar um pouco. Vá, minha filha, o ônibus não vai esperar por você.

Quando Bunch saiu, Miss Marple permaneceu imóvel por alguns minutos. Na sala, a atmosfera era pesada, refletindo a tempestade que se armava lá fora.

Miss Marple puxou para si uma folha de papel.

Escreveu: "Lâmpada?", e sublinhou três vezes a palavra.

Logo depois, escreveu outra palavra. O seu lápis começou a correr pelo papel, fazendo uma série de anotações enigmáticas.

II

A sala de estar de Boulders, com seu teto rebaixado e o vidro fosco de suas janelas, era bastante escura. As senhoritas Hinchcliffe e Murgatroyd discutiam.

— O seu problema, Murgatroyd — disse a srta. Hinchcliffe —, é que você não se esforça.

— Mas estou lhe dizendo, Hinch, não me lembro de nada.

— Espere aí, Amy Murgatroyd. Vamos trabalhar com objetividade. Até agora, não temos brilhado muito no setor detetivesco. Eu me enganei sobre aquela história da porta. Admito que você não tenha segurado a porta aberta para o assassino. Você é inocente, Murgatroyd!

A srta. Murgatroyd sorriu, sem jeito.

— O nosso azar é termos a única empregada doméstica discreta de Chipping Cleghorn — continuou a srta. Hinchcliffe. — Normalmente, eu dou graças a Deus por isso, mas desta vez está nos atrapalhando. Todo mundo já sabe há muito tempo dessa história da outra porta que foi usada... e nós só soubemos ontem...

— Ainda não entendo como...

— É muito simples. Nossas primeiras conclusões estavam certas. É impossível segurar uma porta aberta, agitar uma lanterna e disparar um revólver, tudo ao mesmo tempo. Nós mantivemos o revólver e a lanterna e excluímos a porta. Pois estávamos erradas, tínhamos de excluir era o revólver.

— Mas ele tinha um revólver — disse a srta. Murgatroyd. — Eu vi. Estava lá, no chão, ao lado dele.

— Quando ele já estava morto, sim. Mas você não percebe? Ele não disparou aquele revólver...

— Então, quem foi?

— Isso é o que vamos descobrir. Mas, seja quem for, foi a mesma pessoa que colocou os comprimidos envenenados no quarto de Letty Blacklock... para que a pobre Dora Bunner acabasse morrendo. E não pode ter sido Rudi Scherz, que já está morto e enterrado. Foi alguém que estava naquela sala na noite do assalto e, provavelmente, alguém que também estava na festa de aniversário. Assim, a única pessoa que está excluída é o sr. Harmon.

— Você acha que os comprimidos foram colocados no dia da festa?

— Por que não?

— Mas como?

— Ora, uma hora ou outra, todo mundo foi ao banheiro, não foi? — perguntou a srta. Hinchcliffe. Eu mesma fui lavar as mãos, por causa daquele bolo pegajoso. E a engraçadinha da Easterbrook foi retocar a maquiagem no quarto de Letitia, não foi?

— Hinch! Você acha que ela...

— Não sei ainda. Seria muito óbvio se fosse ela. Acho que quem quisesse fazer aquilo não ia deixar que todo mundo soubesse que esteve no quarto. Mas houve oportunidades de sobra.

— Os homens não foram ao segundo andar.

— Há a escada dos fundos. Afinal de contas, se um homem sai de uma sala, você não vai atrás dele para ver se está indo para onde você pensa que ele vai. Seria falta de educação! E não discuta, Murgatroyd. Vamos voltar ao primeiro atentado contra Letty Blacklock. Para começo de conversa, preste bastante atenção: tudo depende de você.

A srta. Murgatroyd se assustou.

—Ah, Hinch, por favor! Você sabe como eu me atrapalho toda!

— Não é uma questão de usar os miolos, ou seja o que for que você usa no lugar dos miolos. É uma questão de visão. Do que você viu.

— Mas eu não vi nada.

— O seu problema, Murgatroyd, como eu já disse, é que você não se esforça. Preste atenção...Voltemos ao que aconteceu. A pessoa que queria matar Letty Blacklock estava naquela sala, naquela noite. Ele (e digo ele para facilitar, porque pode muito bem ter sido uma mulher; mas o fato é que os homens são uns canalhas)... bem, ele havia lubrificado de antemão as dobradiças e o trinco da segunda porta da sala de estar, que todos pensavam que estivesse trancada. Não me pergunte quando ele fez isso, porque só serviria para confundir tudo. Na verdade, se eu quisesse, bastaria escolher o momento certo para entrar em qualquer casa de Chipping Cleghorn e fazer o que bem entendesse lá dentro por mais de uma hora, sem ninguém saber. É só uma questão de saber os horários das empregadas e por onde andam os moradores, quanto tempo vão demorar fora de casa etc. Uma questão de planejamento adequado. Continuando: ele lubrificou a porta. Ela, agora, abre-se sem um único ruído. E o seguinte acontece: as luzes se apagam, a porta A (conhecida por todos) é aberta de repente. Lanterna, mãos ao alto, aquela palhaçada toda. Enquanto isso, aproveitando a surpresa geral, X (é o melhor termo para o suspeito) esgueira-se pela porta B para a saleta de entrada, que está às escuras, vem por trás daquele suíço idiota, dá uns tiros contra Letty Blacklock e depois atira no suíço. Joga o revólver no chão, para que os patetas pensem que foi o suíço quem disparou, e volta correndo para a sala, antes que alguém consiga acender um isqueiro. Você conseguiu me acompanhar?

— Acho... Acho que sim... Mas quem foi?

— Ora, se você não sabe, Murgatroyd, ninguém mais vai saber!

— Eu? — Miss Murgatroyd quase caiu para trás. — Mas eu não sei de nada. Não sei, mesmo, Hinch!

— Use os miolos. Para começar, onde estavam todos quando as luzes se apagaram?

— Não sei.

— Claro que sabe. Você me irrita, Murgatroyd. Não se lembra, ao menos, onde você estava? Ao lado da porta.

— É... Eu estava, mesmo. Ela bateu no meu joanete, quando abriu.

— Por sinal, você devia ir logo a um bom calista, em vez de ficar metendo a gilete no pé... acaba arranjando uma infecção. Vamos, então: você está atrás da porta. Eu estou ao lado da lareira, com a língua de fora, de tanta vontade de beber alguma coisa. Letty Blacklock está junto da mesinha perto do arco, apanhando os cigarros. Patrick Simmons foi apanhar as bebidas no fundo da sala. Certo?

— Certo, certo, disso tudo eu me lembro.

— Muito bem. Alguém estava indo atrás de Patrick, ou pelo menos começava a andar em sua direção. Um dos homens. O caso é que não me lembro se era Easterbrook ou Edmund Swettenham. Você se lembra?

— Não.

— Claro. Alguém mais estava andando naquela direção: Phillipa Haymes. Disso tenho certeza; lembro-me de ter notado como ela tem a postura bem reta e de ter pensado que ela faria boa figura em cima de um cavalo. Ela foi até a lareira do outro lado do arco, fazer o que eu não sei, porque foi nessa hora que a luz se apagou.

"Então, a disposição dos personagens é esta: no fundo da sala, estão Patrick Simmons, Phillipa Haymes e o coronel Easterbrook (ou Edmund Swettenham, não sabemos qual dos dois). Agora, Murgatroyd, preste atenção. O mais provável é que um dos três seja o culpado. Se alguém queria sair por aquela porta, naturalmente teria a precaução de estar num ponto conveniente, quando as luzes se apagassem. Portanto, como eu ia dizendo, deve ser um desses três. E se for, Murgatroyd, a sua colaboração é perfeitamente dispensável!"

A srta. Murgatroyd se animou consideravelmente.

— Por outro lado — continuou a srta. Hinchcliffe —, existe a possibilidade de que não seja um deles. Logo, precisamos novamente de você, Murgatroyd.

— Mas como é que eu vou saber de alguma coisa?

— Como eu já disse, se você não sabe, ninguém mais vai saber.

— Mas eu não sei. Não sei! Eu nem podia enxergar!

— Ora, podia, sim, senhora. Você é a única que podia! Estava praticamente atrás da porta. Você não podia olhar para a lanterna, porque a porta estava na frente. Estava virada para o outro lado, olhando na mesma direção para a qual a lanterna apontava. Todos nós estávamos com a visão ofuscada... menos você.

— É... pode ser, mas eu não vi nada... a luz da lanterna se agitava tanto...

— E o que lhe mostrava? A luz iluminava uma porção de rostos, não é? E mesas? E cadeiras?

— É... foi assim mesmo... a sra. Bunner, com a boca muito aberta, os olhos quase pulando para fora, muito arregalados, piscando...

— Isso, menina! — A srta. Hinchliffe suspirou com alívio. — Eu sabia que você acabaria usando a cabeça. Vamos em frente.

— Mas eu não vi mais nada, juro que não vi.

— Quer dizer, por acaso, que o resto era uma sala vazia? Ninguém em pé, ninguém sentado?

— Não, claro que não. A sra. Bunner estava com a boca aberta, e a sra. Harmon, sentada no braço de uma cadeira. Estava com os olhos fechados, muito apertados, as mãos fechadas enterradas no rosto... feito uma criança.

— Ótimo. Temos, então, a sra. Harmon e a sra. Bunner. Está entendendo aonde eu quero chegar? A dificuldade é que não quero colocar ideias na sua cabeça. Mas, quando eliminarmos quem você tiver mesmo visto, chegaremos à parte realmente importante: quem você não viu? Entendeu? Além das mesas, das cadeiras e dos crisântemos, lá estavam algumas pessoas... Julia Simmons, a sra. Swettenham, a sra. Easterbrook, o coronel Easterbrook... ou Edmund Swettenham... Dora Bunner e Bunch Harmon. Muito bem, você viu Bunch Harmon e Dora Bunner. Estão riscadas. Agora, pense, Murgatroyd, pense: não haveria alguma dessas pessoas que sem sombra de dúvida não estava lá?

Um galho que bateu contra a vidraça assustou a srta. Murgatroyd. Ela fechou os olhos e murmurou, para si mesma:

— As flores em cima da mesa... a poltrona grande... a lanterna não chegou a iluminar você, Hinch... a sra. Harmon, sim...

O telefone tocou, insistente. A srta. Hinchcliffe foi atender.

— Alô, o quê? Da estação?

A obediente srta. Murgatroyd, com os olhos fechados, continuava a reviver a noite do dia 29. A lanterna, com seu feixe percorrendo a sala... um grupo de pessoas... as janelas... o sofá... Dora Bunner... a parede... a mesinha com o abajur... o arco... a detonação súbita do revólver...

— ...mas isso é extraordinário! — disse ela.

— O quê? — gritou a srta. Hinchcliffe com raiva, no telefone. — Está aí desde hoje de manhã? Que horas? Mas, seus idiotas, só me telefonam agora? Vou fazer uma denúncia à Sociedade Protetora dos Animais. Ah, foi um lapso? É só isso que o senhor sabe me dizer?

Ela bateu com o fone no gancho.

— É aquela cadela — disse. — A *setter* irlandesa. Está na estação desde cedo... desde as oito da manhã. Sem uma gota de água! E os imbecis só me telefonam agora. Vou buscá-la agora mesmo.

Ela saiu correndo da sala, sem dar atenção aos débeis e esganiçados protestos da srta. Murgatroyd.

— Mas, Hinch... espere aí... Uma coisa extraordinária... Eu não entendo...

A srta. Hinchcliffe já estava quase no pequeno telheiro que lhes servia de garagem.

— Continuamos assim que eu voltar — disse ela, de longe.

—Você não pode ir comigo. Ainda está de chinelos.

Deu a partida e recuou o carro para fora da garagem com um solavanco. A srta. Murgatroyd deu um pulo para sair do caminho.

— Mas, Hinch, eu preciso lhe dizer...

— Quando eu voltar...

Com outro solavanco, o carro pulou para a frente. Mas o grito excitado da srta. Murgatroyd ainda o alcançou:

— Mas, Hinch, ela não estava lá...

III

As nuvens se juntavam no céu, grossas e escuras. Enquanto a srta. Murgatroyd olhava enquanto o carro se afastava, as primeiras gotas pesadas começavam a cair.

Atabalhoadamente, a srta. Murgatroyd correu para uma corda onde, algumas horas antes, pusera para secar dois vestidos e algumas combinações.

Mas não parava de falar consigo mesma:

— Realmente muito estranho... Ah, meu Deus, não vou recolher esta roupa toda a tempo... Estava tudo quase seco...

Lutou contra um prendedor recalcitrante e em seguida virou a cabeça ao ouvir alguém que se aproximava.

Dirigiu-lhe um alegre sorriso de boas-vindas.

— Olá! Entre, cuidado com a chuva!

— Deixe-me ajudar.

—Ah, muito obrigada... é tão desagradável a roupa ficar toda molhada outra vez. Eu devia recolher tudo junto com a corda, mas não alcanço para soltá-la.

— Olhe a sua echarpe. Quer que a coloque no seu pescoço?

— Oh, muito obrigada... Ah, espere... se eu alcançar este prego...

A echarpe de lã foi colocada em volta de seu pescoço e então, subitamente, apertada com violência...

A boca da srta. Murgatroyd se abriu, mas não produziu qualquer som, a não ser por um ruído abafado, do fundo da garganta.

E as mãos continuaram a apertar, cada vez mais...

IV

Voltando da estação, a srta. Hinchcliffe parou para dar uma carona a Miss Marple.

— Ei! — gritou ela. — A senhora vai se molhar. Venha tomar chá conosco. Vi Bunch na fila do ônibus... A senhora não vai querer ficar sozinha naquele casarão. Venha se juntar a nós. Murgatroyd e eu estamos fazendo uma reconstituição do crime. Acho que estamos chegando lá. Cuidado com a cadela, ela está muito agitada.

— É uma beleza.

— Um bicho muito bonito mesmo, não é? E aqueles idiotas estavam com ela na estação desde hoje de manhã, sem me avisarem de nada. Ah, mas eu lhes disse poucas e boas! Bons filhos da mãe! Com perdão da má palavra, não ligue, eu fui educada na Irlanda, no meio dos cavalariços.

Com um solavanco, o carrinho ultrapassou o portão de Boulders. Mal as duas senhoras saltaram, foram rodeadas por um bando impaciente de patos e galinhas.

— Ah, aquela Murgatroyd... — disse a srta. Hinchcliffe. — Esqueceu de lhes dar o milho.

— É difícil conseguir milho por aqui? — perguntou Miss Marple.

A srta. Hinchcliffe lhe deu uma piscadela.

— Eu me dou muito bem com a maioria dos fazendeiros.

Espantando as galinhas do seu caminho, ela acompanhou Miss Marple em direção a sua casa.

— A senhora não está muito molhada?
— Não, esta capa é muito boa.
— Vou acender o fogo, se Murgatroyd ainda não o fez. Ei, Murgatroyd! Onde se meteu aquela mulher? Murgatroyd! E a cadela, onde se meteu agora? Também sumiu.

Ouviu-se, vindo de fora, um uivo triste.

— Essa diaba dessa cadela...

A srta. Hinchcliffe correu para a porta e chamou:

—Venha cá, Cutie, Cutie![10] Um nome idiota, mas ela já está acostumada. Precisamos arranjar-lhe outro. Ei, Cutie!

A *setter* irlandesa cheirava alguma coisa caída sob a corda esticada, na qual diversas peças de roupa dançavam ao vento.

— Murgatroyd nem teve cabeça para recolher a roupa lavada. Onde andará ela?

O animal insistia em fuçar o que parecia ser um monte de roupas; erguendo o focinho para o céu, mais uma vez soltou o seu uivo lamentoso.

— Que diabo tem esse bicho?

A srta. Hinchcliffe atravessou o gramado.

Agitada, preocupada, Miss Marple correu em seu encalço. Pararam as duas juntas; a chuva caía sobre elas, e a mulher mais velha colocou o braço à volta da mais moça.

Sentiu os seus músculos se retesarem quando ela baixou os olhos para o vulto caído, cujo rosto estava congestionado, azulado; a língua se projetava para fora.

—Vou matar quem fez isso — disse a srta. Hinchcliffe, em voz baixa e aparentemente controlada. — Se eu conseguir pôr as mãos nela...

— Nela? — perguntou Miss Marple.

A srta. Hinchcliffe voltou para ela seu rosto transtornado.

— É. Eu sei quem é... ou quase sei... pelo menos, é uma de três possibilidades.

---

[10] *Cutie*: bonitinha, engraçadinha (N. da T.).

Por mais um minuto ela ficou ali, olhando para a amiga assassinada; depois, voltou-se em direção à casa. Sua voz estava seca, dura.

— Precisamos telefonar para a polícia. E, enquanto esperamos que eles venham, vou lhe contar tudo. De certa forma, é minha culpa o que aconteceu a Murgatroyd. Eu estava fazendo um jogo... e homicídio não é um brincadeira.

— Não — respondeu Miss Marple. — Não é brincadeira.

— A senhora entende disso, não é? — perguntou a srta. Hinchcliffe, enquanto discava.

Fez uma rápida comunicação do que acontecera e desligou.

— Estão vindo. É, eu soube que a senhora já esteve metida nessas histórias antes... Acho que foi Edmund Swettenham quem me falou... Não quer saber o que estávamos fazendo, Murgatroyd e eu?

Narrou sucintamente a conversa que tivera com a amiga antes de ir à estação.

— Quando eu estava saindo, ela ainda gritou... É por isso que sei que não foi um homem, mas uma mulher... Ah, se eu tivesse esperado, se tivesse prestado atenção! Que diabo, essa cadela podia ficar onde estava por mais 15 minutos!

— Não se culpe, minha filha. Não adianta. Ninguém pode prever o que vai acontecer.

— Não, eu sei... Houve um barulho na janela, eu me lembro... Talvez ela estivesse lá fora, ouvindo... É, é isso mesmo, só pode ser isso... Estava vindo para cá... Murgatroyd e eu estávamos falando em voz alta... praticamente gritando... E ela ouviu... ouviu tudo.

— Ainda não me contou o que a sua amiga disse.

— Só uma frase: "Ela não estava lá." — Fez uma pausa. — Entende? Só três mulheres nós não havíamos eliminado. A sra. Swettenham, Julia Simmons e a sra. Easterbrook. E uma das três... não estava lá... não estava na sala, porque tinha saído pela outra porta e estava no saguão.

— Estou vendo — disse Miss Marple. — Entendo.

— É uma dessas três mulheres. Não sei qual. Mas vou descobrir!

— Desculpe — interrompeu Miss Marple. — Mas ela... a srta. Murgatroyd, quero dizer... disse aquela frase exatamente como você a repetiu?

— Como assim?

—Ah, meu Deus, é difícil de explicar.Você a disse assim:"Ela não estava lá." Ênfase igual em todas as palavras. Está entendendo? Há maneiras diferentes de dizer a mesma frase. Você poderia ter dito: "*Ela* não estava lá", muito pessoal. Ou então: "Ela *não estava* lá", confirmando uma suspeita anterior. Ou poderia dizer (e é a forma mais aproximada da que você usou): "Ela não estava *lá*", com a ênfase, se houver, na palavra "lá".

— Não sei... — A srta. Hinchcliffe sacudiu a cabeça. — Não me lembro... como diabo vou me lembrar? Acho, quer dizer, com certeza ela disse que "Ela *não estava* lá." Para mim, é a maneira mais natural. Mas realmente não sei. Faz alguma diferença?

— Faz — respondeu Miss Marple, pensativa. — Acho que sim. É um indício muito tênue, é claro, mas creio que é um indício. Para falar a verdade, desconfio que faça muita diferença...

CAPÍTULO 20
Miss Marple desaparece

I

O carteiro, embora de má vontade, passara a entregar a correspondência em Chipping Cleghorn também na parte da tarde, além da costumeira entrega matinal.

Naquela tarde, ele deixou três cartas em Little Paddocks, exatamente faltando dez para as cinco.

Uma era endereçada, numa caligrafia infantil, a Phillipa Haymes; as outras duas eram para a sra. Blacklock. Ela as abriu no momento em que, com Phillipa, sentava-se para o chá. A chuva torrencial possibilitara a Phillipa sair mais cedo de Dayas Hall, já que, terminado o trabalho nas estufas, nada mais havia a fazer.

A sra. Blacklock abriu a primeira carta: era uma conta pelo conserto do aquecedor da cozinha. Ela resmungou, irritada:

— Dymond está cobrando cada vez mais caro... um absurdo. Mas, enfim, parece que todo mundo está fazendo isso hoje em dia.

Abriu a outra carta, que vinha numa caligrafia que lhe era totalmente estranha.

Querida prima Letty, (dizia a carta)
Espero que não se incomode que eu chegue aí na terça-feira. Escrevi para Patrick dois dias atrás, mas ele não me respondeu.

Imagino que não tenha problema. Mamãe vem à Inglaterra no mês que vem e está ansiosa para vê-la.

Meu trem chegará a Chipping Cleghorn às 6h15, está bem assim?

Afetuosamente,
Julia Simmons

A sra. Blacklock leu a carta duas vezes: com espanto, puro e simples, e depois, com os lábios apertados. Olhou para Phillipa, que sorria lendo a carta do filho.

— Sabe se Julia e Patrick já chegaram?

Phillipa levantou os olhos.

— Já. Entraram logo depois de mim. Subiram para trocar de roupa. Estavam encharcados.

— Quer chamá-los para mim?

— Claro.

— Mas, espere... quero que leia isto primeiro.

Entregou a Phillipa a carta que acabara de receber.

A moça a leu e franziu a testa.

— Não compreendo...

— Nem eu... mas acho que já está na hora de entender. Chame os dois, Phillipa, por favor.

Phillipa chegou ao pé da escada e os chamou.

Patrick desceu correndo e entrou na sala.

— Fique, Phillipa — disse a sra. Blacklock.

— Olá, tia Letty — saudou Patrick alegremente. — Chamou?

— Chamei. Talvez você possa explicar isto.

O rosto de Patrick refletiu um desânimo quase cômico quando terminou a leitura.

— Eu ia lhe mandar um telegrama! Que burrice a minha!

— Imagino que esta carta seja de sua irmã Julia?

— É... É dela mesmo.

— Então — replicou a sra. Blacklock, com toda a irritação de que era capaz —, quem é aquela moça que você trouxe para

cá como se fosse Julia Simmons e que me foi apresentada como sua irmã e minha prima?
— Ora... entenda, tia Letty... o problema é o seguinte... É claro que eu posso explicar tudo... Sei muito bem que não deveria ter feito isso... mas achei que seria engraçado, que não teria importância. Se a senhora me deixar explicar...
— Estou esperando pela explicação. Quem é aquela moça?
— Bem, eu a conheci numa festa, pouco depois de largar a farda. Conversamos, e eu lhe disse que estava vindo para cá... e, então, pensei que seria gozado se a trouxesse comigo... Sabe, Julia... a Julia verdadeira... estava louca para trabalhar com teatro, e mamãe tinha ataques quando ouvia falar nisso. Seja como for, Julia conseguiu uma ótima chance de trabalhar numa companhia, e teve vontade de tentar... e pensamos que seria mais prático não assustar mamãe, deixando que ela pensasse que Julia estava aqui, estudando para ser enfermeira como uma moça bem-comportada.
— Eu ainda quero saber quem é aquela outra moça.
Patrick recebeu com alívio a entrada de Julia, fria e tranquila como sempre.
— Descobriram tudo — anunciou ele.
Julia ergueu as sobrancelhas. Depois, sempre tranquila, aproximou-se e se sentou.
— Certo — disse. — Então é isso. Imagino que esteja muito zangada.
Examinou o rosto da sra. Blacklock com uma curiosidade inteiramente despida de emoção.
— Eu estaria, se fosse a senhora — completou.
— Quem é você?
Julia suspirou.
— Acho que é hora de contar tudo. Vamos lá. Eu faço parte da dupla "Pip e Emma". Para ser exata, meu nome de batismo é Emma Jocelyn Stamfordis... só que papai não usou o Stamfordis por muito tempo. O seu sobrenome seguinte, se bem me lembro, era De Courcy. É bom que saiba que papai e mamãe se separaram

uns três anos depois que Pip e eu nascemos. Foi cada um para o seu lado. E nos dividiram. Eu fiquei com ele. Não era muito bom pai, embora fosse uma pessoa encantadora. Muitas vezes fui internada em conventos, quando ele não tinha dinheiro, ou estava preparando algum de seus golpes mais sinistros. Costumava pagar com generosidade as primeiras despesas, dando a impressão de ser riquíssimo, e depois me deixava nas mãos das freiras por um ou dois anos. Mas nos intervalos costumávamos nos divertir muito, vivendo em vários lugares. A guerra nos separou completamente. Não tenho ideia do que lhe aconteceu. Eu mesma tive as minhas aventuras. Trabalhei com a Resistência, na França, por algum tempo... Muito divertido. Enfim, para encurtar a história, acabei em Londres, pensando no futuro. Sabia que o irmão de mamãe, com quem ela tivera uma briga terrível, morrera muito rico. Procurei saber mais sobre o seu testamento, para ver se havia algo para mim. Não havia... não diretamente, é claro. Tentei saber alguma coisa sobre a sua viúva, mas apurei que estava quase gagá, vivendo à custa de remédios e praticamente agonizante. Francamente, cheguei à conclusão de que a senhora representava a minha melhor chance. Ia herdar um monte de dinheiro e, pelo que eu soube, não parecia ter ninguém para quem deixá-lo. Vou ser clara: pensei que, se fizesse amizade com a senhora... afinal de contas, as coisas mudaram bastante desde a morte do tio Randall, não é? Todo o dinheiro que tínhamos sumiu no redemoinho da guerra. Achei que a senhora se padeceria de uma pobre órfã, sozinha no mundo, e me daria uma mesada ou coisa parecida.

— Achou, é? — perguntou a sra. Blacklock, sem sorrir.

— Foi. Naturalmente, eu não sabia como a senhora era... tinha imaginado uma abordagem lacrimosa... Então, por uma coincidência incrível, conheci Patrick e descobri que era seu sobrinho, primo, algo assim. Achei que era uma oportunidade única. Não precisei me esforçar muito: ele caiu por mim com a maior facilidade. A Julia verdadeira estava ansiosa para ser atriz, e não tive o menor trabalho para persuadi-la a cumprir seu dever para com as artes e estudar para ser a nova Sarah Bernhardt.

"A senhora não deve culpar Patrick. Ele teve muita pena de mim, sozinha no mundo... e, num instante, convenceu-se de que seria uma ideia maravilhosa trazer-me para cá como sua irmã."

— Ele também aprovou que você contasse uma porção de mentiras à polícia?

— Tenha dó, Letty. Não vê que, quando aconteceu aquela história ridícula do assalto (ou melhor, depois de tudo aquilo), eu percebi que estava numa enrascada? A verdade é que eu tenho um motivo excelente para tirá-la do meu caminho. A senhora tem apenas a minha palavra de que não fui eu quem tentou. Mas não pode achar que eu iria me incriminar assim, deliberadamente. Até mesmo Patrick andou desconfiando de mim... e, se ele chegou a pensar mal de mim, imagine o que não diria a polícia! Aquele inspetor me pareceu um homem muito desconfiado. Enfim, eu achei que a única coisa a fazer era continuar a fingir que era Julia e desaparecer no fim do ano. Como é que eu ia adivinhar que a pateta da Julia... a Julia de verdade... ia brigar com o produtor e desistir de tudo? Ela escreveu a Patrick, perguntando se poderia vir para cá e, em vez de telegrafar mandando que ela ficasse longe, ele vai e esquece de tomar qualquer providência.

Ela dirigiu um olhar de raiva para Patrick.

— Nunca vi alguém tão burro! — E suspirou. — A senhora não tem ideia do que andei passando em Milchester! É claro que não estou frequentando hospital nenhum. Mas tinha de ir a alguma parte. Passei horas e horas vendo e revendo os filmes mais horríveis do mundo.

— Pip e Emma — murmurou a sra. Blacklock. — Não sei por quê, apesar do que dizia o inspetor, nunca cheguei a acreditar que existissem mesmo...

Olhou para Julia.

—Você é Emma — afirmou. — Onde está Pip?

Os olhos de Julia, claros e inocentes, enfrentaram os seus.

— Não sei — disse ela. — Não tenho a menor ideia.

—Acho que está mentindo, Julia. Onde o viu pela última vez?

Teria Julia hesitado antes de responder?

Ela replicou com a voz firme:

— Não o vejo desde os três anos de idade, quando minha mãe o levou embora. Nunca mais o vi, nem a ela. Não sei onde estão.

— E isso é tudo que você tem a dizer?

Julia suspirou.

— Eu poderia dizer que lamento muito. Mas não seria inteiramente verdade. No fim, eu faria tudo de novo... a não ser que soubesse que iam acontecer esses crimes, é claro.

— Julia — disse sra. Blacklock —, vou continuar a chamá-la assim porque estou acostumada. Você disse que trabalhou com a Resistência, na França?

— Foi. Durante um ano e meio.

— Imagino que tenha aprendido a atirar?

Novamente aqueles olhos azuis e frios encontraram os seus.

— Eu sei atirar, sim. E muito bem. Não atirei na senhora, embora tenha de acreditar na minha palavra. Mas uma coisa lhe posso dizer: se eu tivesse atirado na senhora, não teria errado.

II

A tensão foi rompida pelo ruído de um carro que parava junto à casa.

— Quem poderá ser? — perguntou a sra. Blacklock.

A cabeça despenteada de Mitzi apareceu na porta. Estava de olhos arregalados.

— Perseguição! — exclamou ela. — Polícia de novo. Ninguém fica mais em paz? Eu não aguento. Vou escrever para o primeiro-ministro, para o rei!

Craddock a afastou de seu caminho com uma firmeza não muito gentil. Entrou com um ar extremamente sério, a ponto de assustar a todos. Era um inspetor Craddock bem diferente do que conheciam.

— A srta. Murgatroyd foi assassinada — anunciou ele. — Foi estrangulada, há menos de uma hora.

Seus olhos procuraram Julia.

— Srta. Simmons... onde esteve durante o dia?

— Em Milchester. Acabei de chegar — respondeu ela, cautelosamente.

— E o senhor?

— Eu também — disse Patrick.

— Chegaram juntos?

— Hã... chegamos, sim.

— Não — disse Julia. — Não vale a pena, Patrick. É o tipo de mentira que eles descobrem na mesma hora. O pessoal do ônibus nos conhece. Eu voltei mais cedo, inspetor, no ônibus que chega às quatro horas.

— E o que fez?

— Fui dar uma volta a pé.

— Na direção de Boulders?

— Não.

Ele a encarou. Julia, pálida, com os lábios apertados, devolveu-lhe o olhar.

Antes que alguém pudesse falar, o telefone tocou.

A sra. Blacklock, depois de interrogar Craddock com o olhar, atendeu.

— Alô. Quem? Ah, Bunch. O quê? Não. Ela não está. Não tenho ideia... Ele está aqui, agora.

Afastou o fone e explicou aos outros:

— A sra. Harmon quer falar com o senhor, inspetor. Miss Marple não voltou para a casa paroquial, e ela está preocupada.

Craddock chegou ao telefone em duas passadas.

— Craddock falando.

— Estou assustada, inspetor...

A voz de Bunch tinha um tom de medo quase infantil.

— Não sei por onde anda a tia Jane. E dizem que mataram a srta. Murgatroyd. É verdade?

— É verdade, sim, sra. Harmon. Miss Marple estava com a srta. Hinchcliffe quando ela encontrou o corpo.

— Ah, então é lá que ela está — disse Bunch, respirando com alívio.

— Desculpe, mas não está, não. Pelo menos, não agora. Saiu... deixe-me pensar... meia hora atrás. Ainda não chegou em casa?

— Não. E são só dez minutos a pé. Onde pode estar ela?

— Quem sabe, na casa de algum vizinho?

— Já telefonei para eles, para todo mundo. Ela não está em parte alguma. Estou com medo, inspetor.

"Eu também", pensou Craddock.

Respondeu, rapidamente:

—Vou até aí agora.

— Ah, venha, por favor. Quero lhe mostrar um papel. Ela escreveu umas coisas, antes de sair. Não sei se tem alguma importância... para mim, não faz muito sentido.

Craddock desligou. A sra. Blacklock perguntou, com ansiedade na voz:

— Aconteceu alguma coisa com Miss Marple? Ah, espero que não.

— Eu também — respondeu Craddock, sério.

— Ela é tão idosa... tão frágil.

— Eu sei.

A sra. Blacklock, mexendo nervosamente no colar de pérolas que lhe escondia o pescoço, falou em voz rouca:

— Está ficando cada vez pior. Quem estiver fazendo isso tudo deve ser uma pessoa louca, inspetor... inteiramente louca...

— É possível.

Os dedos agitados da sra. Blacklock acabaram por romper os fios de pérolas. Uma cascata de globos brancos se derramou pelo chão.

— Minhas pérolas... Minhas pérolas... — ela exclamou, angustiada. A nota de agonia em sua voz era tão forte que todos a olharam com espanto. Com a mão na garganta, ela se voltou e saiu correndo da sala, soluçando.

Phillipa começou a recolher as pérolas.

— Nunca a vi perder a cabeça dessa maneira — disse ela. — É verdade que ela usa esse colar o tempo todo... Quem sabe não será presente de alguém especial? Randall Goedler, na certa.

— É possível — disse Craddock.
— Elas não são... não poderiam ser... pérolas de verdade?
Phillipa, de joelhos, catava as pérolas, uma a uma.
Apanhando uma, Craddock quase respondeu automaticamente que era uma hipótese ridícula. Mas as palavras não chegaram a lhe sair dos lábios.
Afinal, poderiam ser verdadeiras aquelas pérolas?
Eram tão grandes, tão regulares, tão brancas, que parecia óbvio serem falsas. Mas ele se lembrou, subitamente, de um caso recente, no qual um colar de pérolas verdadeiras fora comprado em uma loja de penhores por uns poucos xelins.
Letitia Blacklock lhe garantira que não havia joias de valor na casa. Se aquelas pérolas fossem reais, deveriam ter um valor fabuloso. E, se Randall Goedler por acaso as tivesse dado a ela... então, seu valor seria inestimável.
Pareciam falsas... Deviam ser falsas, mas... e se fossem reais?
Por que não? Ela mesma poderia não saber da verdade. Ou poderia ter decidido proteger o seu tesouro, tratando-o como se fosse um enfeite barato. O que poderiam valer, se fossem pérolas verdadeiras? Impossível calcular... o bastante para que alguém matasse para obtê-las... se alguém soubesse a verdade.
O inspetor teve de fazer um esforço para se libertar da sequência de especulações. Miss Marple desaparecera. Ele precisava ir à casa paroquial.

III

Encontrou Bunch e o marido esperando por ele, ambos preocupados e tensos.
— Ela ainda não apareceu — disse Bunch.
— Disse que vinha para cá quando saiu de Boulders? — perguntou Julian.
— Não chegou a dizer — disse Craddock, procurando lembrar-se da última vez que vira Jane Marple.

Recordou o seu ar decidido e o brilho singularmente frio daqueles olhos azuis, normalmente tão gentis.

Um ar decidido... decisão de fazer o quê? Ir aonde?

— Ela estava falando com o sargento Fletcher, na última vez que a vi — disse ele. — Estava parada perto do portão. Logo depois ela saiu. Pensei que estivesse voltando para cá. Deveria ter mandado o carro trazê-la... mas havia tanta coisa a fazer, e ela saiu sem se despedir. Fletcher deve saber de alguma coisa! Onde estará ele?

Mas, ao telefonar para Boulders, descobriu que o sargento Fletcher não estava lá, nem dissera aonde fora. Pensavam que tivesse voltado para Milchester. O inspetor ligou para a chefatura em Milchester, onde também não teve notícias do policial.

Voltou-se então para Bunch, lembrando-se do que ela lhe dissera ao telefone.

— Onde está o tal papel? A senhora disse que ela andou escrevendo alguma coisa?

Bunch apresentou a folha de papel. Ele a abriu sobre a mesa, enquanto Bunch se debruçava sobre seu ombro, soletrando enquanto ele lia. A letra era trêmula e de difícil decifração:

"Abajur."

Depois, outra palavra: "Violetas."

Um espaço e, mais adiante:

"Onde está vidro de aspirinas?"

A anotação seguinte era mais difícil de decifrar.

— "Delícia Fatal" — leu Bunch. — É aquele bolo da Mitzi.

— "Mandou enquirir" — leu Craddock.

— Inquirir? O quê, exatamente? E isto aqui? "E o triste sofrimento com bravura suportado..." Mas o que, em nome de...?

— "Iodo" — leu o inspetor. — "Pérolas." Ah! Pérolas!

— E, depois, "Lotty"... não, "Letty". O "e" dela é muito parecido com o "o". E, depois, "Berna". E, depois, "Pensão de velhice"...

Os três se entreolharam, confusos.

Craddock recapitulou, lentamente:

— "Abajur. Violetas. Onde está vidro de aspirinas? Delícia Fatal. Mandou enquirir. E o triste sofrimento com bravura suportado. Iodo. Pérolas. Letty. Berna. Pensão de velhice."

— Isso significa alguma coisa? — perguntou Bunch. — Será possível? Eu não entendi nada.

— Tenho uma vaga ideia... mas não sei — disse Craddock.

— É estranho que ela tenha feito essa anotação sobre as pérolas.

— Por quê? O que quer dizer?

— A sra. Blacklock sempre usou aquelas três voltas de pérolas?

— Sim, sempre. Nós costumamos brincar sobre isso. É tão evidente que são falsas, não é? Vai ver, ela pensa que estão na moda.

— Pode haver outra razão — disse Craddock, pausadamente.

— Ah! Não vá dizer que são verdadeiras. Ora, é impossível!

— Quantas vezes a senhora já viu pérolas verdadeiras daquele tamanho, sra. Harmon?

— Mas são tão foscas...

Craddock encolheu os ombros.

— Mas isso não interessa, pelo menos não agora. O que importa é que Miss Marple está desaparecida. Temos de encontrá-la.

Tinham de encontrá-la antes que fosse tarde demais — ou já seria tarde demais? Aquelas palavras rabiscadas numa folha de papel mostravam que ela estava seguindo uma pista... Mas isso era perigoso, terrivelmente perigoso. E onde estaria Fletcher?

Craddock saiu, andando a passos rápidos na direção de seu carro. Procurar... era tudo o que poderia fazer... procurar.

Uma voz o chamou.

— Senhor! — disse Fletcher, com urgência na voz. — Senhor...

Capítulo 21
Três mulheres

I

O jantar havia se encerrado em Little Paddocks. Fora uma refeição silenciosa e desagradável.

Patrick, consciente de que perdera as boas graças da dona da casa, fizera tentativas esparsas de conversação — e nenhuma fora bem recebida. Phillipa Haymes estivera imersa em seus próprios pensamentos. A sra. Blacklock, por seu turno, não fizera qualquer esforço para manter o seu bom humor habitual. Mudara de roupa para o jantar, e novamente usava suas três fileiras de pérolas, mas, pela primeira vez, o medo se revelava em suas olheiras e em suas mãos trêmulas.

Apenas Julia conservava seu ar de cínico distanciamento.

— Lamento muito — dissera — não poder fazer as malas e ir embora. Mas acho que a polícia não permitiria. De qualquer maneira, não pretendo perturbar a sua vida por muito mais tempo. A qualquer momento, o inspetor Craddock deve aparecer por aí com um mandado de prisão e um par de algemas. Nem sei como é que isso ainda não aconteceu.

— Ele está procurando Miss Marple — respondera a sra. Blacklock.

— Acha que ela também foi assassinada? — perguntou Patrick, por pura curiosidade científica. — Mas por quê? O que poderia ela saber?

— Não sei — fora a resposta seca da sra. Blacklock. — Talvez a srta. Murgatroyd tenha lhe dito alguma coisa.

— Se ela também foi assassinada — raciocinara Patrick com um ar satisfeito —, a lógica indica que só uma pessoa pode ser a culpada.

— Quem?

— Hinchcliffe, é claro. O último lugar onde ela foi vista com vida foi em Boulders. Acho que ela jamais saiu de lá.

— Estou com dor de cabeça — dissera a sra. Blacklock, com a voz soturna e pressionando a mão contra a testa. — Mas por que Hinch mataria Miss Marple? Não faz sentido.

— Faz, se Hinch tiver assassinado Murgatroyd — replicara Patrick, triunfante.

Phillipa saíra de sua apatia para comentar:

— Hinch jamais mataria Murgatroyd.

Patrick não se rendia com facilidade:

— Mataria, sim, se Murgatroyd tivesse descoberto algo que provasse que ela... Hinch... era a assassina.

— Mas Hinch estava na estação quando Murgatroyd foi morta.

Assustando a todos, Letitia Blacklog gritara, subitamente:

— Morte, morte, morte...! Vocês não podem falar de qualquer outra coisa? Estou com medo, vocês não percebem? Estou com medo. Não estava antes. Pensei que pudesse tomar conta de mim mesma... Mas não sei o que se pode fazer contra um assassino que está esperando... que sabe de tudo... que está escolhendo a sua hora... Ah!, meu Deus!

Deixara a cabeça cair nas mãos. Pouco depois, levantara os olhos e pedira desculpas, secamente.

— Desculpem. Eu... perdi o controle.

— Não tem problema, tia Letty — dissera Patrick, carinhosamente. — Deixe por minha conta.

— Por sua conta? — perguntara Letitia Blacklock, deixando perceber um desânimo que era quase uma acusação.

Tudo isso acontecera pouco antes do jantar. Naquele momento, Mitzi entrava para anunciar que não pretendia fazer o jantar.

— Não entendo mais nada nesta casa. Vou para meu quarto, me trancar lá dentro. Não ponho pé fora antes de nascer sol. Muito medo... tanta gente que morre... agora aquela srta. Murgatroyd idiota, com aquela cara de vaca... quem ia querer matá-la? Só um maníaco! Tem um maníaco por aí! E maníaco não escolhe quem mata. Eu que não vou morrer. Tenho medo, naquela cozinha... umas sombras, barulhos... Eu penso que tem alguém no quintal, depois penso que é dentro da despensa... ouço passos... Então, eu vou para meu quarto, me trancar lá dentro e empurrar armário para frente da porta. Quando chegar de manhã, eu digo para aquele policial malvado que vou embora. Se ele não deixar, eu digo que grito, grito, grito, até ele deixar!

A ameaça causara apreensões generalizadas, já que todos conheciam a potência vocal de Mitzi.

— Então, eu vou para meu quarto — dissera Mitzi, repetindo a afirmação mais uma vez, para que não houvesse dúvidas quanto às suas intenções. Num gesto simbólico, ela deixara cair no chão o seu avental. — Boa noite, sra. Blacklock. Quem sabe, de manhã, a senhora não estará viva. Se acontecer, então adeus.

Saíra abruptamente, e a porta, com seu leve rangido costumeiro, fechara-se devagar às suas costas.

Julia se levantara.

— Vou providenciar o jantar — ela dissera calmamente. — É uma boa solução... assim, vocês não ficam constrangidos com a minha presença. Patrick, já que ele se nomeou seu protetor, tia Letty, pode provar os pratos antes. Não quero ser acusada de envenenar ninguém.

Assim, Julia preparara e servira uma excelente refeição.

Phillipa chegara a ir à cozinha com uma oferta de ajuda, mas Julia recusou com firmeza qualquer auxílio.

— Julia, há uma coisa que quero lhe dizer...

— Não é hora de as meninas ficarem trocando confidências — dissera Julia, com severidade. — Volte para a sala, Phillipa.

Agora, o jantar terminara, e todos tomavam café na sala de estar, em volta da lareira — e ninguém parecia ter coisa alguma a dizer. Estavam esperando, apenas esperando.

Às 20h30 o inspetor Craddock telefonou.
— Estarei aí dentro de 15 minutos — anunciou. — Vou levar comigo o coronel e a sra. Easterbrook, e ainda a sra. Swettenham e seu filho.
— Mas, francamente, inspetor... não estou em condições de receber...

A voz da sra. Blacklock mostrava que ela estava no fim de sua resistência.

— Sei como se sente, sra. Blacklock. Lamento muito. Mas isso é urgente.

— O senhor... já encontrou Miss Marple?

— Não — respondeu o inspetor, desligando.

Julia levou a bandeja de café de volta para a cozinha, onde, para sua surpresa, encontrou Mitzi contemplando os pratos e travessas empilhados na pia. Mitzi soltou o verbo com grande ímpeto:

— Olhe o que você fez na minha cozinha! Aquela frigideira, eu só uso para omeletes! E você, o que você fez com ela?

— Fritei cebolas.

— Estragou... tudo estragado. Agora, tenho que lavar frigideira, e nunca, nunca eu lavei frigideira de omelete. Só esfrego com muito cuidado, com pedaço de papel. E esta panela aqui, que você usou... eu só uso para leite...

— Ora, eu não sei que panelas você usa para o quê — replicou Julia, irritada. — Você decidiu se trancar no quarto e agora aparece aqui na cozinha, também não sei por quê. É melhor dar o fora e me deixar lavar a louça em paz.

— Não, não, minha cozinha é minha, você vai embora.

— Ah, Mitzi, você é impossível!

Julia saiu da cozinha no momento exato em que soou a campainha da porta.

— Eu não vou abrir porta — anunciou Mitzi, botando a cabeça para fora da cozinha. Julia resmungou entre os dentes uma expressão francesa não muito polida e se dirigiu para a porta.

Era a srta. Hinchcliffe.

— Boa noite — disse ela. — Desculpe a intromissão. O inspetor já telefonou?

— Ele não nos disse que a senhora viria — explicou Julia, levando-a para a sala de estar.

— Disse que eu não precisava vir, se não quisesse — replicou a srta. Hinchcliffe. — Mas eu queria.

Ninguém deu pêsames à srta. Hinchcliffe nem comentou sobre a morte da srta. Murgatroyd. A tragédia marcara de tal forma a expressão daquela mulher alta e vigorosa que qualquer demonstração de simpatia pareceria uma impertinência.

— Acendam todas as luzes — disse a sra. Blacklock. — E alguém ponha mais carvão na lareira. Estou com frio... morta de frio. Venha sentar-se aqui perto do fogo, srta. Hinchcliffe. O inspetor disse que viria em 15 minutos. Já deve estar chegando.

— Mitzi voltou para a cozinha — anunciou Julia.

—Voltou? Às vezes eu penso que aquela menina é louca. Mas, afinal de contas, pode ser que estejamos todos loucos.

— Eu não admito essa história de dizerem que todas as pessoas que cometem homicídios são loucas — disse a srta. Hinchcliffe. — Para mim, todos os criminosos são sãos... e até inteligentes, embora de uma forma tenebrosa.

Ouviram um carro que se aproximava, e pouco depois entrava Craddock, trazendo o coronel e a sra. Easterbrook, e ainda Edmund e a sra. Swettenham.

Estavam todos circunspectos. Numa voz que era apenas um eco de seu tom normal, o coronel Easterbrook exclamou:

— Ah! Um bom fogo na lareira!

A sra. Easterbrook não quis tirar seu casaco de pele e sentou-se junto ao marido. Seu rosto, normalmente de uma beleza insípida, dava a impressão de ter encolhido: agora, lembrava a expressão tímida de um ratinho amedrontado. Edmund estava num de seus acessos de mau humor e fazia carrancas para todo mundo. A sra. Swettenham estava fazendo um enorme esforço, produzindo uma espécie de paródia de si mesma:

— É estranho, não é? — disse ela, procurando assunto. — Tudo isso, eu quero dizer. Aliás, é melhor não dizer nada. O problema é que não sabemos quem será o próximo... como nas epidemias, não é mesmo? Minha cara sra. Blacklock, não acha que devia tomar um golinho de conhaque? É muito bom para os nervos. Eu... não acho que fique bem esta invasão à sua casa, mas o inspetor Craddock praticamente nos forçou. Ah, é tão impressionante... sabe que ainda não a encontraram? Aquela senhora tão simpática. Bunch Harmon está quase histérica. Ninguém sabe aonde ela foi, em vez de voltar para casa. Em minha casa não apareceu. Eu nem a vi, o dia todo. E, se fosse até lá, eu certamente saberia, porque estava na sala de estar, que fica nos fundos, sabe, e Edmund estava escrevendo na biblioteca, que fica na parte da frente, de maneira que, se ela entrasse por qualquer lado, um de nós saberia, infalivelmente. E, ah, meu Deus, estou rezando para que nada aconteça àquela senhora tão simpática... muito boa pessoa, ela, e tudo o mais, não é mesmo?

— Mamãe — disse Edmund, num tom de profunda agonia —, não poderia dar um jeito de calar a boca?

— Ora, meu filho, eu não pretendo dizer uma só palavra — retorquiu a sra. Swettenham, sentando-se no sofá ao lado de Julia.

O inspetor Craddock permaneceu de pé ao lado da porta. De frente para ele, quase em linha reta, estavam três mulheres: Julia e a sra. Swettenham no sofá, e a sra. Easterbrook no braço da poltrona ocupada pelo marido. Ele não planejara esse arranjo, mas lhe parecia bem apropriado.

A sra. Blacklock e a srta. Hinchcliffe estavam junto ao fogo. Edmund estava de pé perto delas. Phillipa estava mais afastada, nas sombras.

Craddock começou a falar sem qualquer preâmbulo:

— Todos aqui sabem que a srta. Murgatroyd foi assassinada. Temos motivos para acreditar que o assassino é uma mulher. Por outras razões, podemos limitar ainda mais nossa busca. Vou perguntar a algumas senhoras aqui presentes o que faziam entre as quatro horas e as 4h20 desta tarde. Já ouvi a respeito a... a senhorita que tem usado o nome da srta. Simmons. Vou lhe pedir que repita suas declarações. Ao mesmo tempo, srta. Simmons, devo preveni-la de que não precisa responder se acreditar que as respostas possam incriminá-la. E tudo o que disser será registrado pelo cabo Edwards e poderá ser usado como prova no tribunal.

— O senhor é obrigado a dizer essas coisas, não é? — perguntou Julia, que estava pálida, embora controlada. — Repito que, entre quatro e 4h30 da tarde, estava andando pelo campo, na direção do riacho que atravessa a fazenda Compton. Voltei pela estrada que margeia o campo. Não encontrei qualquer pessoa no caminho, que me lembre. Não me aproximei de Boulders.

— Sra. Swettenham?

— Sua advertência vale para todos? — perguntou Edmund.

— Não — disse o inspetor, voltando-se para ele. — No momento, apenas para a srta. Simmons. Não tenho motivos para crer que quaisquer outras declarações possam incriminar quem as faça. Mas todos, é claro, têm direito a exigir a presença de um advogado e a se recusar a responder perguntas sem a sua presença.

— Ora, mas isso seria uma bobagem e uma completa perda de tempo — exclamou a sra. Swettenham. — Tenho certeza de que posso lhe contar exatamente o que estava fazendo. É o que o senhor quer, não é? Posso começar?

— Por favor, sra. Swettenham.

— Então, vejamos. — A sra. Swettenham fechou os olhos por um momento e os abriu novamente. — Naturalmente, eu nada tive a ver com a morte da srta. Murgatroyd. E tenho certeza de que todos aqui sabem disso. Mas sou uma mulher vivida e sei muito bem que a polícia tem a obrigação de fazer uma porção de perguntas desnecessárias e anotar todas as respostas com o maior cuidado, porque é preciso fazer os seus relatórios. Não é verdade, meu filho?

A pergunta foi dirigida ao cabo Edwards, e ela acrescentou gentilmente:

— Não estou falando muito depressa, estou?

Edwards, um taquígrafo competente, mas sem muito traquejo social, ficou vermelho até as orelhas e respondeu:

— Está muito bem assim, senhora. Talvez um pouquinho mais devagar seja melhor.

A sra. Swettenham retomou a narrativa, fazendo pausas enfáticas nos momentos em que, na sua opinião, deveria entrar uma vírgula ou um ponto.

— Bem, na verdade é difícil dizer... exatamente, é claro... porque eu não tenho uma noção de tempo muito exata. E desde a guerra metade dos nossos relógios não anda direito, e os que andam geralmente estão atrasados ou adiantados, quando não param porque esquecemos de dar corda.

Fez uma pausa para permitir que todos compreendessem a situação, e prosseguiu com novo alento:

— Que bem me lembre, às quatro horas eu estava serzindo uma meia... por sinal, fiz uma bobagem e tive de começar tudo de novo. É estranho isso acontecer comigo, porque sei serzir muito bem; mas, caso esteja enganada, estava no jardim, colhendo uns crisântemos... não, não, isso foi antes, antes da chuva.

— A chuva — esclareceu o inspetor — começou exatamente às 16h10.

— Foi mesmo? Isso ajuda bastante. Então, eu estava lá em cima, colocando uma bacia no corredor, onde há uma goteira. Aliás, a goteira estava tão forte que achei que a calha estava entupida outra vez. Então, desci e vesti minha capa e as galochas. Chamei Edmund, mas ele não respondeu, então pensei que ele estivesse num ponto crucial do romance que está escrevendo e não quis incomodá-lo; além disso, é um serviço que já estou acostumada a fazer. A gente usa o cabo da vassoura, sabe, amarrado naquele ferro de empurrar janelas para cima.

— Em suma — interferiu Craddock, notando que o seu taquígrafo parecia confuso —, a senhora estava limpando a calha?

— Pois é. Estava toda entupida de folhas. Demorou muito, e me molhei toda, mas consegui. Depois, voltei lá para dentro, mudei de roupa e me lavei... folhas mortas têm um cheiro, sabe?...

então fui para a cozinha colocar a chaleira no fogo. Eram 18h51, segundo o relógio da cozinha.

Edwards pousou o lápis e sacudiu a cabeça.

— O que significa — concluiu a sra. Swettenham, triunfante — que eram exatamente 16h40. Ou quase isso — arrematou.

— Alguém a viu quando estava limpando a calha?

— Infelizmente, não — disse a sra. Swettenham. — Eu teria chamado a primeira pessoa que aparecesse para me ajudar! É uma coisa muito difícil de se fazer sozinha.

— Então, pelas suas declarações, a senhora estava fora de casa, de capa e de galochas, durante a chuva, e, segundo afirma, empregava o seu tempo na limpeza de uma calha, embora não possa apresentar pessoa alguma que confirme essas informações?

— O senhor pode examinar a calha — replicou a sra. Swettenham. — Está limpinha.

— Ouviu quando sua mãe o chamou, sr. Swettenham?

— Não — disse Edmund. — Estava dormindo.

— Edmund — disse a sra. Swettenham com voz queixosa —, pensei que você estivesse trabalhando.

O inspetor se voltou para a sra. Easterbrook.

— E a senhora?

— Estava com Archie na biblioteca — disse a sra. Easterbrook, encarando-o com seus olhos grandes e inocentes. — Estávamos ouvindo rádio juntos, não estávamos, Archie?

Houve uma pausa. O coronel Easterbrook enrubesceu e prendeu a mão da esposa entre as suas.

— Você não entende dessas coisas, minha gatinha — disse ele. — Eu... ora, inspetor, o senhor tem de compreender que essa história nos transformou a todos. Minha mulher está muito abalada. Ela é muito ansiosa... além disso, não percebeu a importância de... de pensar bem antes de prestar uma declaração.

— Archie — exclamou a sra. Easterbrook —, você vai dizer que não estava comigo?

— Mas não estava, não é mesmo, meu bem? Nós não podemos nos afastar dos fatos. É muito importante, numa investigação como esta. Eu estava conversando com Lampson, o fazendeiro de Croft End, sobre umas telas de galinheiro. Isso foi mais ou menos às 15h45. E não cheguei em casa antes do fim da chuva. Pouco antes do chá, às 16h45. Laura estava fazendo biscoitos.

— E a senhora também esteve fora de casa, sra. Easterbrook?

Seu rosto parecia mais do que nunca com o focinho de um ratinho. Seus olhos eram os de uma pessoa encurralada.

— Não... Não, eu estava ouvindo o rádio. Não saí de casa. Não nessa hora. Mais cedo, sim. Mais ou menos... às 15h30. Para dar uma volta, ali por perto.

Ela esperou por outras perguntas, mas Craddock apenas disse, em voz baixa:

— Muito obrigado, sra. Easterbrook.

E prosseguiu:

— Os seus depoimentos serão datilografados. Poderão lê-los e assiná-los se os considerarem corretos.

A sra. Easterbrook o encarou com súbita indignação:

— Por que o senhor não pergunta aos outros onde estavam? E essa moça Haymes? E Edmund Swettenham? Como é que o senhor sabe que ele estava mesmo dormindo? Ninguém o viu.

— Antes de morrer, a srta. Murgatroyd fez uma afirmação — explicou Craddock, pacientemente. — Na noite do assalto, nesta sala, alguém saiu daqui. Alguém que deveria ter estado aqui o tempo todo. A srta. Murgatroyd relacionou para sua amiga os nomes das pessoas que viu. Por um processo de eliminação, descobriu que havia alguém que ela não tinha visto.

— Mas ninguém podia ver coisa alguma — disse Julia.

— Murgatroyd podia — disse a srta. Hinchcliffe, subitamente animada. — Ela estava aí, perto da porta, onde o inspetor está agora. Foi a única pessoa que conseguiu ver alguma coisa do que se passava.

— Ah! Isso é que o senhor pensa!

Mitzi fez uma de suas entradas dramáticas, escancarando a porta e quase jogando Craddock no chão. Estava quase histérica.

— Ah, policial tonto, não chama Mitzi aqui junto com outros! Eu sou apenas Mitzi! Mitzi fica na cozinha! Lá é lugar dela! Mas eu vim dizer que Mitzi pode ver coisas, tão bem quanto outros, até melhor que outros. Eu vi coisas. Naquela noite, eu vi uma coisa e nem acreditei bem, e calei a boca até agora. Para mim mesma, eu disse: espere, não diga nada que você viu, espere calada.

— E quando tudo se acalmasse, você com certeza ia tentar arrancar algum dinheiro de alguém, não? — perguntou Craddock.

Mitzi se virou para ele como um gato zangado.

— E por que não? Por que me olha desse jeito? Por que eu não ia ganhar dinheirinho para pagar minha generosidade em ficar calada? Ainda mais porque vem muito dinheiro por aí... muito, muito dinheiro. Ah! Eu ouvi coisas... sei tudo. Sei história de Pipema... essa sociedade secreta que ela... — e apontou dramaticamente para Julia — é agente. Eu ia mesmo esperar e pedir dinheiro... mas agora tenho medo. Prefiro segurança. Daqui a pouco, alguém pode me matar. Por isso, eu conto tudo agora.

— Muito bem — disse o inspetor, com ar cético. — Afinal, o que você sabe?

— Eu digo — anunciou Mitzi solenemente. — Naquela noite, eu não estava limpando prataria como eu disse antes... eu estava na sala de jantar quando ouvi revólver disparar. Olhei pelo buraco da fechadura. Tudo escuro, mas o revólver disparou de novo, e lanterna caiu no chão, e, quando caiu, ela girou... e eu vi. Eu vi ali, com ele, com revólver na mão; eu vi sra. Blacklock.

— Eu? — A sra. Blacklock se aprumou, atônita. — Você está louca!

— Mas é impossível — disse Edmund. — Mitzi não poderia enxergar a sra. Blacklock...

Craddock lhe cortou a palavra, falando com rara energia e volume:

— Não poderia, sr. Swettenham? E por que não? Por que não era a sra. Blacklock quem estava lá com o revólver? Era o senhor, não era?

— Eu... claro que não... ora, que diabo!

— O senhor furtou o revólver do coronel Easterbrook. O senhor fez o arranjo com Rudi Scherz, como se fosse uma brincadeira. O senhor foi atrás de Patrick Simmons para o fundo da sala e, quando as luzes se apagaram, fugiu pela outra porta. O senhor atirou na sra. Blacklock e matou Rudi Scherz. Poucos segundos depois, já estava de volta, tentando acender o isqueiro.

Por um momento, Edmund permaneceu mudo, sem encontrar palavras; finalmente, gaguejou:

— Mas isso é monstruoso. Por que eu? Que motivo eu teria?

— Se a sra. Blacklock morrer antes da sra. Goedler, duas pessoas herdarão a fortuna. São as pessoas que conhecemos pelos apelidos de Pip e Emma. Já sabemos que Julia Simmons é Emma...

— E o senhor pensa que eu sou Pip? — Edmund riu. — Fantástico... absolutamente fantástico! Sei que tenho a idade certa, mas nada mais. E posso lhe provar, seu maluco, que eu sou Edmund Swettenham. Certidão de nascimento, diploma de colégio, de universidade... tudo.

— Ele não é Pip.

A voz saiu de um canto mal-iluminado. Phillipa Haymes avançou, com o rosto pálido.

— Eu sou Pip, inspetor.

— A senhora?

— Eu mesma. Todo mundo partiu do princípio de que Pip era um menino; é claro que Julia sabia que era irmã gêmea de uma menina... e não sei por que ela não o disse, hoje à tarde...

— Solidariedade de família — disse Julia. — De repente, eu compreendi quem você era. Mas não sabia antes.

— Eu tive a mesma ideia que Julia — explicou Phillipa, cuja voz tremia um pouco. — Depois que eu... que perdi o meu marido e que terminou a guerra, eu não sabia o que fazer. Minha mãe tinha morrido há muito tempo. Descobri nossa ligação com a família Goedler. A sra. Goedler estava morrendo, e, quando isso acontecesse, o dinheiro iria para uma tal sra. Blacklock. Descobri onde ela morava e... e vim para cá. Comecei a trabalhar para a sra. Lucas. Tinha a esperança de que, como a sra. Blacklock era uma mulher idosa, sem parentes, ela poderia, talvez, dispor-se a ajudar um pouco. Não a mim, porque eu posso trabalhar, mas na educação de Harry. Afinal de contas, é dinheiro da família Goedler, e ela não teria ninguém de seu para dá-lo.

"Então — Phillipa começou a falar mais depressa, como se não pudesse conter uma torrente de revelações há muito contidas —, aconteceu o assassinato, e comecei a ficar assustada. Achei que a única pessoa com um motivo real para assassinar a sra. Blacklock fosse eu. Não tinha a menor ideia de quem Julia era... não somos gêmeas idênticas e não nos parecemos muito. Enfim, parecia que a única pessoa suspeita era eu mesma."

Parou, empurrando o cabelo para trás, e Craddock subitamente compreendeu que o instantâneo esmaecido que encontrara no maço de cartas só poderia ser uma foto da mãe de Phillipa. A semelhança era indisfarçável. Descobriu também por que a menção ao gesto de abrir e fechar as mãos lhe parecera familiar — Phillipa o fazia agora.

— A sra. Blacklock tem sido boa para mim. Muito boa, mesmo. Eu não tentei matá-la. Nunca pensei nisso. Mas, de qualquer maneira, Pip sou eu. Assim — acrescentou —, não é preciso suspeitar de Edmund.

— Não? — replicou Craddock, e novamente sua voz soava cortante como um chicote. — Edmund Swettenham é um rapaz com gosto para o dinheiro. Um rapaz que, talvez, tenha sentido vontade de se casar com uma mulher rica. Acontece que essa mulher não seria rica a não ser que a sra. Blacklock morresse antes da sra. Goedler. E, já que parecia certo que a sra. Goedler morreria primeiro, bem... ele tinha de tomar uma providência... não é verdade. sr. Swettenham?

— Isso é mentira! — berrou Edmund.

E então, subitamente, o ar se encheu com um outro grito. Vinha da cozinha — um longo e alucinado grito de terror.

— Não é Mitzi! — exclamou Julia.

— Não — disse o inspetor Craddock. — É alguém que assassinou três pessoas...

Capítulo 22
A verdade

Enquanto o inspetor iniciava suas acusações contra Edmund Swettenham, Mitzi tinha deixado a sala e voltado para a cozinha. Estava enchendo a pia quando a sra. Blacklock entrou.

Mitzi a olhou de esguelha, encabulada.

— Mas como você mente, Mitzi... — disse a sra. Blacklock, sem rancor. — Olhe aqui... não é assim que se lava a louça. Primeiro, coloque os talheres, depois encha a pia até em cima. Dois dedos de água não dão para lavar nada.

Mitzi girou as torneiras obedientemente.

— Não está zangada com o que eu disse, sra. Blacklock?

— Se fosse me zangar com todas as mentiras que você conta, passaria a vida toda de mau humor — disse a sra. Blacklock.

— Vou lá dizer para inspetor que tudo é mentira, tudo bem? — insistiu Mitzi.

— Mas ele já sabe disso — respondeu a sra. Blacklock, sorrindo.

Mitzi fechou as torneiras. Ao fazê-lo, duas mãos surgiram por trás de sua cabeça; com um movimento rápido, fizeram com que ela mergulhasse na pia cheia de água.

— Só eu sei que, desta vez, você está dizendo a verdade — disse a sra. Blacklock.

Mitzi tentou se debater, mas a sra. Blacklock era surpreendentemente forte; suas mãos mantiveram a cabeça da outra mulher mergulhada, apesar de toda a sua resistência.

Então, de algum lugar muito próximo, a voz de Dora Bunner se fez ouvir, num lamento choroso e fantasmagórico:
— Oh, Lotty... Lotty... não faça isso... Lotty...
A sra. Blacklock gritou. Suas mãos relaxaram, e Mitzi, libertada, ergueu a cabeça.
A sra. Blacklock não parava de gritar. Não havia mais ninguém na cozinha além dela...
— Dora, Dora, me perdoe... Eu não tive escolha... não tive... Inteiramente alucinada, ela saiu correndo em direção à porta — apenas para ser barrada pelo corpanzil do sargento Fletcher, no mesmo instante em que Miss Marple, afogueada e triunfante, saía do armário de vassouras.
— Sempre tive muito jeito para imitar as vozes dos outros — ela comentou.
—A senhora tem de vir comigo — disse o sargento Fletcher.
— Sou testemunha de sua tentativa de afogar aquela moça. E há outras acusações. Devo preveni-la, Letitia Blacklock...
— Charlotte Blacklock — corrigiu Miss Marple. — É o seu nome verdadeiro, sabia? Embaixo desse colar que ela usa o tempo todo, existe a cicatriz da operação.
— Operação?
— De bócio.
Acalmando-se aos poucos, a sra. Blacklock a encarou:
— Então, já sabe de tudo?
— Sei... há algum tempo, já.
Charlotte Blacklock sentou-se à mesa e começou a chorar.
— Não devia ter feito aquilo comigo — disse ela. — Não a voz de Dora. Eu gostava dela, gostava mesmo.
O inspetor Craddock e os outros se acotovelavam na porta do corredor.
Edwards, que incluía noções de primeiros socorros entre suas muitas habilidades, estava ocupado com Mitzi. Logo que ela recobrou a fala, suas primeiras palavras foram de elogio à própria atuação.

— Eu fiz muito bem, não? Muito inteligente, não? Muito corajosa, não? Oh, eu ser tão brava! Quase fui assassinada, também. Mas tive tanta coragem que arrisquei a tudo.

A srta. Hinchcliffe, num impulso incontido, abriu caminho entre os demais e pulou sobre Charlotte Blacklock, que chorava, sentada à mesa da cozinha. O sargento Fletcher precisou de toda a sua força para segurá-la.

— Vamos... — disse ele. — Vamos... não, não faça isso, srta. Hinchcliffe.

Entre dentes cerrados, a srta. Hinchcliffe suplicava:

— Deixe-me, deixe-me. Só um minuto... Ela matou Amy... matou Amy...

Charlotte Blacklock levantou a cabeça, soluçando.

— Eu não queria matá-la. Não queria matar ninguém... mas tive de matar... mas o pior foi matar Dora... depois que ela morreu, eu fiquei sem ninguém... desde que ela morreu eu estou sozinha... sozinha... oh, Dora... Dora...

E mais uma vez ela deixou cair a cabeça, chorando sem parar.

Capítulo 23
Noite na casa do reverendo

Miss marple estava sentada na cadeira de braços. Bunch estava no chão, em frente ao fogo, com os braços em volta dos joelhos.

O reverendo Julian Harmon, com o queixo mergulhado nas mãos, inclinado para a frente, tinha mais o ar de um menino de colégio do que a sua aparência habitual de um homem prematuramente envelhecido. Quanto ao inspetor Craddock, demonstrava claramente, pelo cachimbo aceso e pelo copo de uísque ao seu lado, que não estava de serviço. Julia, Patrick, Edmund e Phillipa também faziam parte do grupo.

— A história é sua, Miss Marple — disse Craddock.

— Ora, que nada, meu filho! Eu só dei uma mãozinha, aqui e ali. Você estava encarregado de tudo, e fez todas as investigações; além disso, sabe de tantas coisas que eu não sei...

— Então contem juntos — intrometeu-se Bunch, impaciente.

— Um pouco cada um. Mas faço questão de que tia Jane comece. Adoro o seu jeito engraçado de juntar as coisas. Quando foi que a senhora começou a desconfiar da sra. Blacklock?

— É difícil dizer, querida. É claro que, de saída, parecia claro que a pessoa ideal... melhor dizendo, a pessoa óbvia... para ter organizado o assalto era a própria sra. Blacklock. Era a única pessoa que se sabia ter estado em contato com Rudi Scherz, e tudo o mais eram providências fáceis de tomar pela própria dona da casa. Ligar o aquecimento central, por exemplo, para evitar acender a lareira, o que impediria que a sala ficasse totalmente às escuras. A única pessoa que poderia tomar essa providência era a dona da casa.

"Não que tivesse ficado convencida desde o começo... mas me lembro de ter pensado que era uma pena que as coisas não fossem simples assim! Mas, na verdade, fui iludida como todo mundo, e pensei que alguém estivesse mesmo tentando matar Letitia Blacklock."

— Seria bom explicar logo o que realmente aconteceu — disse Bunch. — O rapaz suíço a reconheceu... foi isso, não?

— Foi, ele tinha trabalhado em...

Ela hesitou e olhou para Craddock, que tomou a palavra:

— Na clínica do dr. Adolf Koch, em Berna. Koch era um especialista famoso em todo mundo por suas operações de bócio. Charlotte Blacklock se operou na mesma época em que Rudi Scherz trabalhava lá, como servente. Quando veio para a Inglaterra, ele reconheceu, no hotel, a senhora que conhecera como paciente da clínica e, num impulso, abordou-a. Acho que ele não o teria feito se parasse para pensar, porque perdera o emprego em circunstâncias não muito honrosas; enfim, como isso ocorreu depois de Charlotte ter deixado a clínica, era provável que ela não soubesse de nada.

— Então ele não lhe falou nada de Montreux e de seu pai ser dono de um hotel lá?

— Ora, não. Isso ela inventou para explicar por que ele a teria procurado.

— Deve ter sido um grande choque para ela — disse Miss Marple, pensativa. — Ela se sentia inteiramente tranquila... e, então, de repente, ocorre a coincidência quase impossível de aparecer alguém que a conhecia... não como uma das duas Blacklocks; para isso estava prevenida... mas, sem sombra de dúvida, como Charlotte Blacklock, uma paciente que fora operada de bócio.

"Bem, mas você me pediu que começasse do princípio. O princípio, eu acho, se o inspetor Craddock concorda, foi quando Charlotte Blacklock, uma jovem bonita e sensível, começou a sofrer desse crescimento desmedido da tireoide que é conhecido pelo nome de bócio. Isso arruinou a sua vida; ela sempre atribuíra importância enorme à sua aparência. Afinal, todas as jovens, na adolescência, são sensíveis e vaidosas. Acredito que, se ela tivesse mãe viva ou um pai compreensivo, não chegaria ao estado mórbido em que acabou mergulhando. Não havia ninguém para forçá-la a enfrentar a vida e a levar uma existência normal, sem se preocupar em excesso com a doença. Além disso, em outras circunstâncias, ela teria sido operada muitos anos antes.

"Mas o dr. Blacklock, eu imagino, era um homem obstinado, tirânico, antiquado. Não acreditava nessas operações. Convenceu Charlotte de que nada havia a fazer... exceto tratamento com iodo e outros medicamentos. Charlotte aceitou tudo isso, e acho que também a sua irmã depositava mais fé na capacidade profissional do dr. Blacklock do que ele merecia.

"Charlotte era devotada ao pai, dentro das limitações de sua personalidade não muito forte. Não há dúvida de que aceitava suas decisões em tudo. E, à medida que o bócio aumentava e mais a deformava, mais ela evitava o convívio com outras pessoas. Embora, no fundo, fosse de natureza afetiva."

— É uma descrição curiosa para uma assassina — comentou Edmund.

— Não concordo — replicou Miss Marple. — Pessoas fracas e bondosas são, frequentemente, muito perigosas. E, se acham que a vida lhes deve alguma coisa, isso geralmente destrói todos os seus princípios éticos.

"E Letitia Blacklock, evidentemente, tinha uma personalidade completamente diferente. O inspetor Craddock me contou que Belle Goedler a descreveu como uma pessoa essencialmente boa, e eu acredito mesmo que ela o fosse. Era uma mulher de grande integridade que tinha, como ela mesma dizia, enorme dificuldade em compreender como alguém pudesse ser desonesto. Letitia, por mais tentada que fosse, jamais pensaria em cometer uma fraude. Ela era devotada à irmã. Os longos relatos que lhe mandava sobre tudo o que acontecia à sua volta mostram o seu esforço para mantê-la interessada na vida. Preocupava-se muito com o estado de morbidez em que Charlotte estava mergulhando.

"Até que morreu o dr. Blacklock. Letitia, sem hesitar um segundo, largou tudo e se dedicou inteiramente a Charlotte. Levou-a para a Suíça, para consultar os especialistas sobre a possibilidade de uma operação. Era quase tarde demais, mas, como sabemos agora, a operação foi um sucesso. A deformidade desapareceu, e a cicatriz que deixou era facilmente escondida por um colar de pérolas de muitas voltas, colocado ao pescoço.

"Tinha começado a guerra. Era difícil voltar à Inglaterra, e as duas irmãs ficaram na Suíça, trabalhando na Cruz Vermelha. Foi assim mesmo, não foi, inspetor?"

— Exato, Miss Marple.

— Recebiam notícias esparsas da Inglaterra; imagino que, entre outras coisas, tenham sabido que Belle Goedler não teria muito tempo de vida. Seria a coisa mais natural do mundo que as duas tenham passado horas e horas conversando sobre seus planos para a enorme fortuna que iriam receber. É claro que essa perspectiva era muito mais importante para Charlotte do que para Letitia. Pela primeira vez em sua vida, Charlotte se sentia como uma mulher normal, que ninguém olhava com piedade ou repulsa. Finalmente, ela podia desfrutar a vida, e tinha uma vida inteira para gastar nos anos que lhe restassem. Viajar, ter uma casa luxuosa, roupas e joias, ir a peças e concertos, satisfazer todos os seus caprichos... era uma espécie de conto de fadas que se tornaria real para Charlotte.

"Foi então que Letitia, a saudável e forte Letitia, apanhou uma gripe, que se complicou numa pneumonia e a matou em menos de uma semana! Não foi apenas a irmã que Charlotte perdeu, mas também aquela vida de luxo com que tinha sonhado. Sabem, acho que deve até ter ficado com raiva de Letitia. Ela não tinha nada que morrer, logo agora que acabavam de saber que Belle Goedler estava nas últimas... Mais um mês, quem sabe, e o dinheiro seria de Letitia, e dela quando Letitia morresse...

"Foi então que ficou bem marcada a diferença entre as duas irmãs. Para Charlotte, o que planejou fazer não tinha nada de errado. O dinheiro era destinado a Letitia... seria de Letitia dentro de muito pouco tempo... e ela se considerava como uma espécie de outra metade da irmã.

"Talvez a ideia não lhe tenha ocorrido até que um médico ou outra pessoa qualquer lhe tenha perguntado o nome de batismo da irmã; isso terá sido o bastante para que ela percebesse que, para todo mundo, elas eram as duas senhoras Blacklock — duas inglesas, parecidas nas roupas e nos traços fisionômicos (e, como eu estava dizendo no outro dia a Bunch, as senhoras idosas sempre se parecem umas com as outras). Por que, então, não teria sido Charlotte a que morrera, e Letitia a que estava viva?

"Com certeza, foi mais um impulso do que um plano. E Letitia foi sepultada com o nome de Charlotte. Com Charlotte morta, Letitia voltou para a Inglaterra. E toda a sua capacidade de iniciativa e a sua energia, adormecidas durante tantos anos, vieram à tona. Como Charlotte, ela vivera em segundo plano. Agora, tomava posse do ar de comando, da sensação de comando que fora parte essencial da personalidade de Letitia. No fundo, elas não eram diferentes no que dizia respeito à mentalidade... embora, é claro, houvesse uma grande diferença moral.

"Naturalmente, Charlotte teve que tomar uma ou duas precauções óbvias. Comprou uma casa numa parte da Inglaterra onde nunca estivera antes. As poucas pessoas que tinha de evitar eram alguns moradores de sua cidade natal em Cumberland (onde, além disso, vivera a maior parte do tempo trancada em casa) e, evidentemente, Belle Goedler, que conhecera Letitia tão intimamente que, com ela, seria inútil qualquer disfarce. Quanto à caligrafia, a artrite de suas mãos resolvia o problema. Na verdade, era tudo mais fácil, já que pouquíssimas pessoas realmente haviam conhecido Charlotte."

— Mas e se ela tivesse encontrado pessoas que conheceram Letitia? — perguntou Bunch. — Essas não eram poucas.

— Mas também não seria grande problema. Alguém poderia dizer: "Vi Letitia Blacklock no outro dia; está tão diferente que mal a reconheci." Isso é comum, e não despertaria suspeitas de que ela não era Letitia. As pessoas realmente mudam muito em dez anos. E, se ela não reconhecesse alguém, poderia atribuir isso à sua miopia. Além do mais, ela estava a par de todos os detalhes da vida de Letitia em Londres... as pessoas que conhecera, os lugares que frequentara. Tinha as cartas da irmã para se guiar, e poderia num instante desfazer qualquer desconfiança mencionando algum episódio ou falando de alguma amizade comum. Não, querida, era realmente pelo lado de Charlotte que ela podia ter motivos para temer.

"Instalou-se, então, em Little Paddocks e fez amizade com os vizinhos. Quando recebeu uma carta pedindo um favor a Letitia, aceitou com prazer a vinda dos dois primos que jamais vira. O fato de que eles a aceitaram como a tia Letty aumentou a sua sensação de segurança.

"Tudo corria esplendidamente. E, então, ela cometeu o seu grande erro. Um erro que decorreu unicamente de sua bondade natural e de sua natureza afetiva. Recebeu uma carta de uma velha colega de escola que estava em dificuldades, e correu em seu socorro. Em parte, deve ter feito isso por se sentir muito solitária, apesar de tudo. O seu segredo a mantinha, de certa forma, afastada das outras pessoas. E tinha sido realmente amiga de Dora Bunner, de quem se lembrava como um símbolo de seus tempos alegres de colégio. Seja como for, num impulso, ela respondeu à carta de Dora com o seu próprio nome. Imaginem a surpresa da outra! Escrevera a Letitia e recebia uma carta de Charlotte. Não havia hipótese de tentar enganar Dora, uma das poucas amigas que frequentara o quarto de reclusa de Charlotte, durante sua doença.

"E, como sabia que Dora veria a situação da mesma maneira que ela, contou-lhe o que fizera. Dora deu a sua aprovação incondicional. Para a sua cabeça confusa, era inteiramente justo que a sua querida Lotty não perdesse a herança a que tinha direito apenas porque Letty morrera numa ocasião tão inconveniente.

Lotty merecia uma recompensa pelo sofrimento que enfrentara com tanta paciência e coragem. Seria um absurdo que todo aquele dinheiro fosse para algum desconhecido.

"Ela entendeu perfeitamente que ninguém poderia saber de coisa alguma. Era como um quilo de manteiga comprado no câmbio negro. Não se deve comentar a respeito, mas também não é algo necessariamente errado. Assim, Dora veio para Little Paddocks, e logo Charlotte percebeu que cometera um erro terrível. Não era apenas o fato de que era quase impossível viver com uma pessoa como Dora Bunner, com sua cabeça tonta e seus enganos e confusões constantes. Isso Charlotte poderia aguentar, porque realmente gostava da outra, e porque o médico lhe dissera que Dora não tinha muito tempo de vida. Mas a amiga logo se revelou um risco permanente. Embora Charlotte e Letitia se tratassem pelos próprios nomes, Dora era o tipo de pessoa que sempre usava apelidos carinhosos. Para ela, as irmãs sempre haviam sido Letty e Lotty. E, embora se esforçasse para chamar a amiga de Letty, o apelido correto volta e meia lhe escapava dos lábios. Memórias do passado, também, vinham-lhe constantemente à cabeça, e Charlotte tinha de estar sempre alerta contra alusões inadequadas. A situação começou a enervá-la.

"Mesmo assim, não era provável que alguém prestasse atenção aos deslizes de Dora. O grande golpe na segurança de Charlotte foi desfechado, como eu disse, quando ela foi reconhecida e abordada por Rudi Scherz, no hotel Royal Spa.

"É possível que o dinheiro com que Rudi repôs os seus primeiros desfalques no hotel tenha saído da bolsa de Charlotte Blacklock. O inspetor Craddock acredita, entretanto, e eu concordo com ele, que Rudi lhe pediu dinheiro sem pensar em chantagem."

— Ele não tinha a menor ideia de que sabia de algo que a pudesse prejudicar — explicou Craddock. — Tinha consciência de ser um rapaz atraente, e sua experiência lhe dizia que rapazes atraentes às vezes conseguem tirar dinheiro de senhoras idosas se lhes contarem uma história triste e convincente.

"Mas ela via a coisa de maneira diferente. Deve ter imaginado que os pedidos não passavam de uma forma sutil de chantagem, e que talvez ele suspeitasse de algo; depois, quando soubesse da herança pelos jornais, que certamente explorariam o caso após a morte de Belle Goedler, ele viria a descobrir que tinha uma mina de ouro em seu poder.

"E, agora, ela não podia mais voltar atrás. Já se apresentara como Letitia Blacklock. Já usara essa identidade junto ao banco, junto à sra. Goedler. E o único obstáculo à sua frente era aquele suíço, um empregadinho de hotel, um tipo em que não se podia confiar, provavelmente um chantagista. Ela estaria em segurança... se ele fosse afastado do caminho.

"É possível que, no começo, ela tenha encarado o passo que ia dar como uma fantasia. Em toda a sua vida, faltara-lhe emoção e drama. Seria no mínimo divertido planejar uma solução para o seu problema: como faria para se livrar de Rudi Scherz?

"E traçou o plano. Depois, acabou decidindo que valia a pena executá-lo. Falou a Rudi sobre a brincadeira que queria fazer durante uma festa, explicando que precisava de um estranho para desempenhar o papel do assaltante. Ofereceu uma boa quantia pela sua ajuda.

"E o fato de ele ter aceitado sem suspeitar de nada é que me faz ter certeza de que o rapaz não desconfiava de que representava um perigo para ela. Para ele, tratava-se apenas de uma velha tola, com dinheiro para jogar fora. Ela lhe deu o anúncio para colocar no jornal e arranjou a sua visita a Little Paddocks para estudar a geografia do local e ver por onde entraria na noite da brincadeira. É claro que Dora Bunner ignorava tudo isso. Até que chegou o dia..."

Miss Marple se aproveitou da pausa do inspetor para retomar a narrativa, com sua voz doce:

— Deve ter sido um dia terrível para ela. Era tarde demais para voltar atrás... Dora Bunner nos disse que Letty passou o dia inteiro assustada; realmente, seu estado de tensão deve ter sido muito profundo. Deve ter sentido medo do que ia fazer, medo de que alguma coisa não desse certo, mas não medo bastante para desistir.

"Talvez tivesse sido emocionante furtar o revólver da gaveta do coronel Easterbrook. Bastava levar alguns ovos ou um pote de geleia como desculpa... e dar uma escapulida ao andar de cima, aproveitando estar a casa vazia. Talvez fosse emocionante lubrificar a segunda porta da sala de estar, para que abrisse e fechasse sem ruído. E, também, mudar o lugar da mesa que ficava em frente à porta, com o pretexto de melhorar a posição do arranjo de flores feito por Phillipa. Até então, tudo tivera o gosto de uma simples brincadeira. Mas o que iria acontecer a seguir não era uma brincadeira, muito pelo contrário. Ah, sim, ela estava mesmo assustada... Dora Bunner não estava enganada."

— Mesmo assim, ela não desistiu — disse Craddock. — E o plano funcionou admiravelmente. Ela saiu pouco depois das seis horas "para guardar os patos" e aproveitou para fazer Scherz entrar e lhe dar a máscara, a capa, as luvas e a lanterna. Então, às 18h30, quando o relógio começou a dar as horas, ela estava a postos, na mesinha perto do arco, com a mão na caixa de cigarros. Era a coisa mais natural do mundo: Patrick fora buscar as bebidas, e ela, como dona da casa, ia oferecer os cigarros. Ela previu, com razão, que, quando o carrilhão começasse a soar, todos os olhares se desviariam para o relógio. Foi o que aconteceu. Apenas uma pessoa, a dedicada Dora, manteve seus olhos fixos na amiga. E, depois, contou-nos, em suas primeiras declarações, exatamente o que a sra. Blacklock fez: disse que a sra. Blacklock apanhara o jarro de violetas.

"Antes, ela já desbastara o fio do abajur, deixando-o a descoberto. Tudo não levou mais de um segundo. Ela ergueu as violetas, derramou um pouco de água na parte descascada do fio e acionou o interruptor. A água conduz bem a eletricidade. Ocorreu o curto-circuito."

— Exatamente como aconteceu outro dia lá em casa — disse Bunch. — Foi por isso que a senhora se impressionou tanto, não foi, tia Jane?

— Foi, minha filha. Eu estava preocupada com aqueles abajures. Compreendia que era um par, e que um havia sido trocado pelo outro... provavelmente durante a noite.

— Certo — disse Craddock. — Quando Fletcher examinou o abajur na manhã seguinte, estava, como os outros da casa, perfeitamente em ordem, sem qualquer alteração no fio.

— Eu compreendi o que Dora Bunner quisera dizer com aquela história de que, na noite anterior, "era a pastora" — disse Miss Marple —, mas caí no erro de pensar, como ela, que Patrick havia sido o responsável pela troca. O interessante é que nunca se poderia confiar em Dora Bunner, quando ela repetia o que ouvira em alguma parte... sempre usava sua imaginação para exagerar ou distorcer tudo, e geralmente errava nas conclusões a que chegava... mas errava muito pouco quando relatava o que vira. Ela viu Letitia apanhar as violetas...

— E viu o que descreveu como sendo um clarão e um estampido — contribuiu Craddock.

— E, naturalmente, quando Bunch derramou a água do jarro de rosas sobre o fio, eu percebi que apenas a própria sra. Blacklock poderia ter causado o curto-circuito, porque só ela estava perto da mesa.

— Não sei como tudo isso me escapou — lamentou-se Craddock. — Dora Bunner chegou a falar de um ponto queimado na mesa, onde "alguém deixara um cigarro", e a verdade é que ninguém chegou a acender um cigarro... E as violetas morreram porque não havia água no jarro; foi um deslize de Letitia, que devia tê-lo enchido de novo. Mas ela deve ter achado que ninguém iria notar e, de todo o modo, a sra. Bunner estava pronta para admitir que tinha esquecido de colocar a água, quando arrumara as flores.

Ele prosseguiu:

— Ela era altamente sugestionável. E a sra. Blacklock mais de uma vez se aproveitou disso. As suspeitas de Bunny em relação a Patrick eram influenciadas por ela, eu acho.

— Por que logo eu? — reclamou Patrick, em voz ofendida.

— Ela não queria levar a intriga adiante... apenas o suficiente para distrair Bunny de qualquer suspeita de que a sra. Blacklock estivesse por trás de tudo. Bem, todos sabemos o que aconteceu depois. Assim que as luzes se apagaram e se instalou a confusão, ela escapuliu pela porta previamente lubrificada e se esgueirou por trás de Rudi Scherz, que estava desempenhando seu papel com grande entusiasmo, brincando com o feixe de luz pela sala. Acho que ele jamais suspeitou de que ela estivesse às suas costas, usando suas luvas de jardinagem e empunhando o revólver. Ela esperou até que a lanterna estivesse apontada para o lugar que deveria mirar: a parede perto da qual ela deveria estar. Então, fez dois disparos rápidos e, quando ele, espantado, começou a se voltar, encostou a arma em seu corpo e atirou novamente. Deixou o revólver cair ao lado do corpo, jogou as luvas num canto qualquer e voltou pela mesma porta, para o lugar exato onde estava no momento em que as luzes se apagaram. Fez um ferimento na própria orelha, não sei bem como...

— Tenho a impressão de que usou tesourinha de unhas — disse Miss Marple. — Basta um pequeno corte no lóbulo e sai sangue à beça. Psicologicamente, agiu muito bem. O sangue lhe escorrendo pela blusa confirmava que ela tinha sido atingida e que por pouco não morrera.

— As possibilidades de erro eram realmente muito pequenas — disse Craddock. — A insistência de Dora Bunner em que Scherz realmente quisera matar a sra. Blacklock tinha sua utilidade. Sem querer dizer isso, Dora Bunner dava a impressão de que realmente vira o momento em que sua amiga teria sido ferida. O veredicto, fatalmente, seria de suicídio ou morte acidental. E o caso seria arquivado. Se não foi, devemos isso a Miss Marple.

— Ora, não, senhor! — protestou Miss Marple energicamente. — Não fiz mais do que dar uma pequena ajuda. Era o senhor quem não estava satisfeito, sr. Craddock. Foi o senhor quem não quis arquivar o caso.

— Eu não estava mesmo satisfeito — concordou Craddock.

— Sabia que havia alguma coisa errada, em algum lugar. Mas não sabia onde estava o erro, até que a senhora me mostrou. E, depois, a sra. Blacklock teve um lance de azar: eu descobri o que tinham feito naquela outra porta da sala. Até aquele momento, poderíamos ter muitas teorias sobre o que poderia ter acontecido... embora não passassem de conjecturas. Mas aquela porta lubrificada era uma prova. E eu a descobri por puro acaso... porque segurei a maçaneta por engano.

— Para mim, o senhor foi levado a fazer aquilo, inspetor — disse Miss Marple. — Eu sou meio antiquada, sabe.

— Assim, a caçada recomeçou — disse Craddock. — Mas desta vez era diferente. Procurávamos alguém com um motivo para matar Letitia Blacklock.

— E havia alguém com um motivo, e a sra. Blacklock sabia disso — prosseguiu Miss Marple. — Acho que ela reconheceu Phillipa logo de saída. Acontece que Sonia Goedler foi uma das poucas pessoas admitidas no quarto de Charlotte. E, quando uma pessoa chega a uma certa idade (o senhor ainda não sabe disso, sr. Craddock), a memória é muito mais fiel para rostos que a pessoa viu quando era jovem do que para outros muito mais recentes. Phillipa deve ter a mesma idade de sua mãe quando esta conheceu Charlotte e é muito parecida com ela. O engraçado é que Charlotte ficou satifeita por ter reconhecido Phillipa. Afeiçoou-se a ela, e isso, sem que se desse conta, ajudou-a a fazer as pazes com sua consciência. Jurou a si mesma que, quando herdasse o dinheiro, tomaria conta de Phillipa. Ia tratá-la como uma filha; ela e Harry viveriam em sua casa. Isso a fazia sentir-se feliz e generosa. Mas, quando o inspetor começou a fazer perguntas sobre a identidade de "Pip e Emma", Charlotte começou a se preocupar. Ela não queria transformar Phillipa num bode expiatório. Tudo o que planejara era encenar um assalto praticado por um jovem marginal que teria morte acidental. Mas agora, com a descoberta da porta lubrificada, a situação mudava completamente. E, com exceção de Phillipa, não havia mais ninguém (que ela soubesse, já que não tinha a menor ideia da verdadeira identidade de Julia) com qualquer motivo para desejar a sua morte. E fez o possível para proteger a identidade de Phillipa. Teve bastante presença de espírito para lhe dizer, quando o senhor perguntou, que Sonia era baixinha e morena, e tirou os velhos instantâneos do álbum, para que não se descobrisse a semelhança, na mesma ocasião em que tirou as fotos em que Letitia aparecia.

— E pensar que cheguei a suspeitar de que a sra. Swettenham seria Sonia Goedler — lamentou-se Craddock.

— Minha pobre mamãe — murmurou Edmund. — Uma senhora de um passado sem mácula... pelo menos, que eu saiba.

— Mas naturalmente — continuou Miss Marple — o verdadeiro perigo estava em Dora Bunner. A cada dia que passava, ela ficava mais distraída e mais tagarela. Lembro-me da maneira como a sra Blacklock a encarou, no dia em que fomos lá tomar chá. Sabem por quê? Dora acabara de chamá-la de Lotty. Para nós não passou de um lapso ocasional. Mas assustou Charlotte. E a situação piorou. A pobre Dora não conseguia se controlar. No dia em que tomamos café na Bluebird, tive a estranha sensação de que Dora estava falando de duas pessoas e não de uma, e, evidentemente, era isso mesmo. Numa hora, ela falava de sua amiga como não sendo bonita, mas tendo muita personalidade, e, quase ao mesmo tempo, descrevia-a como uma moça bonita e um pouco leviana. Classificava Letty como inteligente e bem-sucedida na vida... e, depois, falava de sua vida triste, para não falar daquela citação sobre "triste sofrimento com bravura suportado", que não se encaixava de forma alguma na vida de Letitia. Tenho certeza de que Charlotte ouviu uma boa parte de nossa conversa, quando chegou ao restaurante. Deve ter ouvido Dora falar na troca dos abajures, na história do pastor e da pastora. E foi então que compreendeu o perigo que a pobre e dedicada Dora Bunner representava para a sua segurança.

"Acho que aquela conversa realmente selou o destino de Dora... se me perdoam a expressão melodramática. Mas desconfio de que, no fim, daria na mesma... porque Charlotte jamais se sentiria segura enquanto Dora Bunner estivesse viva. Ela gostava de Dora, não queria matá-la, mas não via outra saída. E imagino que (como a enfermeira Ellerton de que lhe falei, no outro dia, Bunch) ela se convenceu de que seria também um gesto de bondade. Pobre Bunny... sem muito tempo de vida, provavelmente teria uma agonia dolorosa pela frente. O mais curioso é que ela fez o possível para que Bunny tivesse um último dia de vida muito feliz. Houve a festa de aniversário... o bolo especial..."

— *Delícia Fatal* — disse Phillipa, estremecendo.

— É... É basicamente isso... Ela se esforçou para servir uma delícia fatal à amiga... A festa, todas as coisas que ela gostava de comer, evitar que as pessoas fizessem comentários que a perturbassem. E, depois, os comprimidos, no vidro de aspirinas ao lado de sua própria cama, para que Bunny, quando não achasse o vidro que acabara de comprar, fosse apanhar algumas pílulas dali. E assim pareceria, como de fato aconteceu, que os comprimidos eram destinados a Letitia...

"Bunny morreu dormindo, feliz, e Charlotte novamente se sentiu em segurança. Mas Bunny lhe fazia falta... faltavam-lhe sua afeição e sua lealdade, e a possibilidade de conversar sobre os velhos tempos... Ela chorou amargamente no dia em que vim lhe trazer aquele bilhete de Julian... e sua dor era realmente autêntica. Ela acabara de matar sua melhor amiga..."

— É horrível... — disse Bunch. — Que coisa horrível...

— Mas muito humana — interviu Julian Harmon. — Não podemos nos esquecer de que os assassinos também são humanos.

— Sei disso — disse Miss Marple. — Humanos. E, frequentemente, dignos de piedade. Mas muito perigosos, também. Sobretudo uma assassina fraca e de bom coração como Charlotte Blacklock. Porque, quando uma pessoa fraca sente medo, medo de verdade, fica alucinada de terror e perde inteiramente o controle.

— E Murgatroyd? — perguntou Julian.

— É... a pobre Murgatroyd. Charlotte deve ter ido lá quando elas estavam reconstituindo o crime. A janela estava aberta, e ela ouviu tudo, antes de entrar. Até aquele momento, nunca lhe ocorrera que poderia haver outra pessoa que representasse um perigo para ela. A srta. Hinchcliffe estava insistindo com a amiga para que se lembrasse do que vira, e Charlotte nunca pensara que alguém pudesse ter visto alguma coisa. Imaginara que todos estivessem olhando, automaticamente, para Rudi Scherz. Com certeza ficou colada à janela, escutando, na esperança de que fracassassem os esforços de memória da pobre Murgatroyd. E então, no momento exato em que a srta. Hinchcliffe saía correndo para a estação, Murgatroyd chegou ao ponto em que ela se recordara do fato mais importante. Foi quando gritou para a srta. Hinchcliffe, que já ia ao longe: "Ela não estava *lá*..."

"Lembro-me que perguntei à srta. Hinchcliffe se ela falara exatamente dessa maneira... Porque, se tivesse dito "*Ela* não estava lá", não seria a mesma coisa.

— Bom, isso já é um pouco sutil demais para mim — disse Craddock.

Miss Marple se voltou para ele, o rosto corado pela excitação da narrativa.

— Pense só no que se estaria passando dentro da cabeça da srta. Murgatroyd... A gente às vezes vê muitas coisas, sabe, e não tem consciência de que as viu. Uma vez, num acidente de estrada de ferro, lembro-me de ter visto, embora, naquela hora, nem pensasse nisso, uma grande mancha na pintura de um vagão. Até hoje eu poderia desenhá-la igualzinha, se quisesse. E, outra vez, quando caiu uma bomba perto de mim, em Londres, foi aquela confusão toda de paredes arrebentadas e janelas estilhaçadas... mas o que eu guardei na memória, até hoje, foi uma mulher de pé na minha frente, com um buraco em uma das meias, e as meias não combinavam entre si. É por isso que eu entendo muito bem que, quando a srta. Murgatroyd parou de pensar e apenas tentou se lembrar do que tinha visto, diversas coisas começaram a aparecer na sua mente.

"Creio que ela começou a se lembrar da cena próxima à lareira, onde primeiro bateu o feixe da lanterna; depois, seguiu pelas duas janelas, e havia diversas pessoas entre ela e as janelas. Por exemplo, a sra. Harmon, com os punhos apertados sobre os olhos... Recordando, ela continuou a seguir o foco, passando pela sra. Bunner, de boca aberta e olhos arregalados... e passando também por uma parede vazia, atrás de uma mesa sobre a qual estavam um abajur e uma caixa de cigarros. E, então, os tiros, e, de repente, ela se lembrou de uma coisa extraordinária. Ela vira a parede na qual, depois, apareceriam os buracos de bala, a parede em frente à qual Letitia Blacklock estivera quando fora alvo dos tiros, e, no momento em que o revólver disparou, e Letty foi ferida, Letty não estava tá...

"Percebem, agora? Ela havia se concentrado nas três mulheres para as quais a srta. Hinchcliffe lhe chamara a atenção. Se uma das três não estivesse lá, seria na *pessoa* que ela se fixaria. De fato diria: 'Foi *ela*! *Ela* não estava lá.' Mas era um *lugar* que a impressionara, um lugar onde alguém deveria ter estado... mas o lugar estava vazio... não havia ninguém *lá*. Havia o local, mas não a pessoa. Ela não conseguiu assimilar o significado disso imediatamente. 'Que coisa extraordinária, Hinch', foi o que ela disse, 'ela não estava *lá*'... Portanto, só poderia estar falando de Letitia Blacklock."

— Mas a senhora já sabia disso antes, não sabia? — perguntou Bunch. — Quando houve o curto-circuito. Quando a senhora escreveu aquelas coisas na folha de papel.

— É verdade, querida. Nessa hora, eu juntei todas as peças... todas as partes independentes do quebra-cabeça... e apareceu um quadro completo, que fazia sentido.

Bunch recordou, em voz baixa:

— *Abajur?* Está certo. *Violetas?* Confere. *Vidro de aspirinas?* A senhora ficou pensando que Bunny não precisava ter apanhado comprimidos no quarto de Letitia, por ter comprado um vidro naquele dia?

— A não ser que alguém tivesse escondido os seus comprimidos. Era necessário que todos pensassem que fora mais uma tentativa de matar Letitia Blacklock.

— Entendo. E, depois, *Delícia Fatal*. O bolo... e não só o bolo, mas toda a festa. Um dia feliz para Bunny, antes de sua morte. Ela a tratou como um animal que precisa ser sacrificado. Isso é o que eu acho a coisa mais horrível... essa espécie de... de bondade.

— Mas ela era uma mulher de natureza bondosa. O que ela disse, depois de tudo, ali na cozinha, era bem verdade: "Eu não queria matar ninguém." A única coisa que queria era uma fortuna que não lhe pertencia! E, ante esse desejo, que se transformara numa obsessão (era o dinheiro que compensaria tudo o que a vida lhe negara), nada poderia se interpor. As pessoas que têm raiva do mundo são sempre perigosas. Pensam que a vida lhes deve alguma coisa. Conheço inválidos que sofreram muito mais e tiveram frustrações muito maiores do que as de Charlotte Blacklock... e que conseguiram viver com felicidade. É o que está dentro da gente que nos faz felizes ou infelizes. Ah, meu Deus, estou divagando e nem sei mais o que estava dizendo. Onde é que nós estávamos?

— Repassando a sua lista — lembrou Bunch. — O que a senhora quis dizer com *mandou enquirir*? Inquirir o quê?

Miss Marple balançou a cabeça, sorrindo para o inspetor:

— Ah! Essa o senhor devia ter descoberto, inspetor Craddock. O senhor me mostrou aquela carta de Letitia Blacklock para a irmã. Tinha o verbo "enquirir" duas vezes, ambas escritas da mesma maneira, começando com a letra "e". Mas, no bilhete que Bunch lhe mostrou, a sra. Blacklock escrevera "inquirindo", com "i". Normalmente, as pessoas não mudam a sua maneira de escrever com o passar dos anos. Achei isso muito significativo.

— É verdade — disse Craddock. — Eu devia ter notado.

Bunch continuava:

— *E o triste sofrimento com bravura suportado*. Isso foi o que Bunny lhe disse no café; e é claro que Letitia não sofria de coisa alguma. *Iodo*. Foi isso que lhe deu a pista do bócio?

— Foi. Lembre-se de que elas foram para a Suíça, e a sra. Blacklock tentou dar a impressão de que a irmã tinha morrido de tuberculose. Mas eu sei que as maiores autoridades em bócio, e os melhores cirurgiões da especialidade, estão na Suíça. E havia aquele horrível colar de pérolas que Letitia Blacklock sempre usava. Não combinava com ela, mas era ideal para esconder a cicatriz.

— Agora entendo o nervosismo dela naquela noite em que o colar se partiu — disse Craddock. — Na hora, pareceu uma reação despropositada.

— E, em seguida, foi realmente *Lotty* que a senhora escreveu, e não *Letty*, como nós pensamos — disse Bunch.

— Eu lembrei que o nome da irmã era Charlotte, e que Dora Bunner chamara a sra. Blacklock de Lotty uma ou duas vezes; e que, sempre que o fazia, ficava muito agitada.

— E aquela história de *Berna* e da *pensão por velhice*?

— Rudi Scherz trabalhou num hospital em Berna.

— E a pensão?

— Não se lembra, Bunch, de que lhe falei disso, naquele dia na Bluebird? Na hora não sabia exatamente como se aplicava ao nosso problema, mas era a história de a sra. Wotherspoon receber a pensão da sra. Bartlett (muito embora a sra. Bartlett tivesse morrido há muitos anos), apenas graças ao fato de que as mulheres idosas sempre se parecem umas com as outras. A verdade é que todos esses detalhes faziam parte de um grande quadro, que só consegui ver quando juntei as peças esparsas do quebra-cabeça. Tive que parar para refrescar um pouco as ideias e pensar numa maneira de provar que o quadro era verdadeiro. Foi então que a srta. Hinchcliffe me deu uma carona, e acabamos descobrindo a srta. Murgatroyd...

O tom de sua voz se modificou: não era mais alegre, excitado, mas duro e implacável.

— Eu me convenci de que precisava fazer alguma coisa. E depressa. Mas ainda não havia provas. Pensei num plano e conversei com o sargento Fletcher.

— E eu disse poucas e boas ao sargento Fletcher! — disse Craddock. — Ele não devia ter concordado com os seus planos sem antes falar comigo.

— Ele não gostou da ideia, mas eu o convenci — disse Miss Marple. — Fomos a Little Paddocks e procuramos Mitzi.

— Não sei o que a senhora fez para convencê-la — disse Julia.

— Não foi fácil, minha filha — respondeu Miss Marple. — Ela é um tanto egocêntrica, vai ser bom para ela ter agido de

maneira altruísta, para variar. É claro que eu a enchi de elogios, e até disse que, se estivesse em seu país, certamente teria trabalhado na Resistência, no que ela concordou sem pestanejar. Eu comentei que ela tinha o temperamento ideal para esse tipo de ação; era corajosa, não temia o perigo e sabia desempenhar um papel como uma grande atriz. Contei uma porção de histórias de mulheres famosas por façanhas heroicas... algumas reais, a maioria inventada na hora. O que importa é que ela ficou animadíssima.
— Maravilhoso — comentou Patrick.
— Assim, ela acabou concordando em fazer a sua parte. Eu a fiz ensaiar até ter todo o papel decorado. E a mandei trancar-se em seu quarto até que o inspetor Craddock chegasse. O problema com pessoas muito impetuosas é que ficam ansiosas e acabam agindo antes da hora.
— Mas ela foi perfeita — disse Julia.
— Ainda não entendi a necessidade daquilo — lamentou-se Bunch. — É verdade que eu não estava presente, mas...
— O caso é meio complicado, e era tudo um tanto arriscado. O plano era dar a impressão de que Mitzi, embora admitisse que realmente pensara em fazer chantagem, tinha ficado tão nervosa e apavorada que decidira contar toda a verdade: tinha visto, pelo buraco da fechadura, a sra. Blacklock empunhando o revólver, atrás de Rudi Scherz. Isto é, tinha visto o que realmente acontecera. O perigo era que Charlotte Blacklock se lembrasse de que, como a chave estava na fechadura, Mitzi não poderia ter visto coisa alguma. Mas ninguém pensa nesses detalhes na hora em que recebe um choque. E Charlotte só conseguiu pensar que Mitzi a vira.
Craddock assumiu o comando da narrativa:
— Mas (e isso era essencial) eu tinha de fingir que recebia a revelação com ceticismo, e por isso imediatamente lancei um ataque contra alguém que não fora um suspeito até então: Edmund.
— E também eu desempenhei bem o meu papel — disse Edmund. — Enérgica negativa. Atitude de quase desespero. Tudo de acordo com o plano. A única coisa que não estava no plano, Phillipa, meu amor, era a sua entrada em cena, con-

fessando ser Pip. Nem o inspetor nem eu tínhamos a menor ideia de quem era Pip. Eu é que ia ser Pip! Quase estragou tudo, mas o inspetor salvou a pátria com uma nova enxurrada de acusações, e aquelas insinuações nojentas sobre as minhas intenções de casar com uma milionária... o que provavelmente deve ter ficado gravado no seu subconsciente, e ainda vai me fazer sofrer um dia.

— Mas por que isso era necessário?

— Não entende? Era importante fazer com que, do ponto de vista de Charlotte Blacklock, a única pessoa que suspeitava ou sabia da verdade fosse Mitzi. E que as suspeitas da polícia estavam voltadas para outras pessoas. Mitzi tinha de ser tratada como uma mentirosa. Agora, se Mitzi insistisse, alguém acabaria lhe dando atenção. Logo, era necessário silenciá-la.

— Mitzi saiu da sala diretamente para a cozinha... exatamente como eu lhe havia dito — continuou Miss Marple. — A sra. Blacklock saiu atrás dela logo depois. O sargento Fletcher já estava escondido, e eu estava em meu posto, no armário das vassouras. Ainda bem que não sou muito gorda.

Bunch se voltou para Miss Marple:

— O que a senhora esperava que acontecesse, tia Jane?

— Uma de duas coisas: ou Charlotte ofereceria dinheiro a Mitzi para que calasse a boca (e o sargento Fletcher seria testemunha da oferta), ou então... ou então ela tentaria matar Mitzi.

— Mas como ela pôde pensar que escaparia dessa? Seria a primeira pessoa de quem se suspeitaria.

— Ora, querida, ela tinha perdido a cabeça. Estava como um rato, encurralado e apavorado. Pense só no que aconteceu naquele dia. O diálogo entre as senhoritas Hinchcliffe e Murgatroyd. A srta. Hinchcliffe saindo para a estação, e, quando voltasse, a srta. Murgatroyd lhe diria que Letitia Blacklock saíra da sala na noite do assalto. Tinha poucos minutos para assegurar o silêncio da srta. Murgatroyd. Não havia tempo para traçar um plano, para nada. Apenas para matar. Ela se aproxima da pobre mulher, troca algumas palavras e a estrangula. Em seguida, uma corrida até Little Paddocks, uma rápida troca de roupa, e, quando os outros chegaram, ela estava ao pé do fogo, como se nunca tivesse saído de casa.

"Então veio a terrível revelação da identidade de Julia. Ela quebra o seu colar e fica aterrorizada, temendo que tivessem visto a sua cicatriz. Mais tarde, o inspetor telefona, anunciando que está trazendo todo mundo. Não há tempo para pensar nem para descansar. Ela está mergulhada no crime até o pescoço; não é apenas um assassinato piedoso nem é apenas um jovem marginal cuja morte só pode beneficiar a sociedade. Mas um homicídio, cru e simples. Estará ela em segurança? Até aquele momento, sim. Mas, então, surge Mitzi, mais um perigo. É preciso matar Mitzi, tapar a sua boca! Ela já estava fora de si, de tanto medo. Não era mais humana, apenas um animal perigoso."

— E por que a senhora se escondeu no armário, tia Jane? — perguntou Bunch. — Não poderia deixar tudo a cargo do sargento Fletcher?

— Era mais seguro que fôssemos dois, querida. E, além disso, eu tinha certeza de que poderia imitar a voz de Dora Bunner. Se alguma coisa pudesse fazer Charlotte Blacklock desmoronar, seria isso.

— E deu certo!

— Foi... ela não aguentou.

Houve um longo silêncio, enquanto todos reconstituíam mentalmente a cena. Depois, falando de propósito em tom de brincadeira, para baixar a tensão, Julia disse:

— Foi ótimo para Mitzi. Ela me contou ontem que arranjou um emprego em Southampton. Ela disse — e Julia conseguiu uma razoável imitação do linguajar de Mitzi —: "Eu vou lá e eles dizem que é preciso registro com polícia. Você estrangeira, eles dizem, e eu digo para eles que sim, que eu vou registrar! A polícia me conhece bem, eu ajudo a polícia! Sem Mitzi polícia jamais prenderia criminosa muito perigosa. Mitzi arriscou vida, porque é corajosa, corajosa como leão, sem medo de nada. Eles dizem para mim: Mitzi, você é heroína, você formidável. E eu respondo: *Ach*, não foi nada."

Julia parou para tomar fôlego.

— E isso não foi nem dez por cento do que ela disse — comentou.

— Acho — disse Edmund, pensativo — que daqui a pouco Mitzi dirá que ajudou a polícia em pelo menos duzentos casos!

— Ela ficou de bem comigo — disse Phillipa. — Chegou a me dar a receita da sua Delícia Fatal, a título de presente de casamento. Mas me fez prometer que não a daria a Julia, porque Julia estragou a sua frigideira de fazer omeletes.

— Agora, a sra. Lucas está toda derretida por Phillipa, depois que Julia e ela, com a morte de Belle Goedler, herdaram a fortuna deixada por Randall — contou Edmund. — Ela nos mandou uns castiçais de prata como presente de casamento. E vou ter o maior prazer em não convidá-la para a cerimônia!

— E, assim, eles viveram felizes para sempre — disse Patrick. — Edmund e Phillipa... E quanto a Julia e Patrick? — completou.

— Comigo, não. Comigo você não viverá feliz para sempre — respondeu Julia. — Aquilo tudo que o inspetor Craddock improvisou a respeito de Edmund aplica-se muito bem a você. Você é mesmo o tipo do boa-vida que gostaria de uma esposa rica. Nada feito!

— Não existe gratidão neste mundo — comentou Patrick. — Depois de tudo o que eu fiz por essa moça.

— Quase me fez parar numa prisão, acusada de homicídio... isso é o que você fez por mim — disse Julia. — Jamais me esquecerei daquele dia em que chegou a carta de sua irmã. Pensei que eu estivesse perdida. Não via saída alguma. Tenho a impressão — completou ela, pensativa — de que vou mesmo é para o teatro.

— O quê? Você também? — gemeu Patrick.

— Por que não? Vou ver se consigo o lugar da verdadeira Julia. Depois, quando aprender tudo, acho que me dedicarei à produção de peças... encenar as peças de Edmund, talvez.

— Pensei que você escrevesse romances — comentou Julian Harmon.

— Eu também — respondeu Edmund. — Comecei a escrever um romance, e até que estava saindo muito bom. Páginas e páginas falando de um homem de barba crescida, cheirando mal, e uma porção de ruas e becos cinzentos... havia também uma velha com as pernas inchadas de reumatismo, e uma jovem prostituta que vivia cuspindo... e todos passavam parágrafos enormes falando sobre a situação do mundo e a falta de motivo para se continuar vivendo. O problema é que eu também comecei a pensar no assunto... e, de repente, tive uma ideia cômica e a anotei. Daí, nasceu uma cena bastante interessante... tudo muito óbvio. Mas me apaixonei pela coisa... e, antes que percebesse o que estava fazendo, tinha escrito uma farsa gozadíssima, em três atos.

— Como se chama? — perguntou Patrick. — *O que foi que o mordomo viu?*

— Bem que poderia ser... mas, para falar a verdade, dei-lhe o nome de *Os elefantes também esquecem*. E o que importa é que foi aceita e vai ser produzida!

— *Os elefantes também esquecem* — murmurou Bunch. — Pensei que não esquecessem.

O reverendo Julian Harmon se levantou, de um pulo.

— Meu Deus. Com essa conversa toda... esqueci de fazer o meu sermão!

— De novo por causa de histórias de detetives — comentou Bunch. — Desta vez, uma história de verdade.

— O senhor poderia falar sobre o "Não matarás" — sugeriu Patrick.

— Não — disse Julian, sério. — Não vou usar isso.

— Tem toda a razão, Julian. Eu sei de um tema muito melhor, um tema feliz.

Ela recitou, com a voz clara, a passagem da Bíblia:

— "Mas eis que a primavera chegou, e a voz da tartaruga é ouvida em toda a terra..." Não sei se é bem assim... mas vocês conhecem o trecho. Embora eu não tenha a menor ideia de onde saiu essa tartaruga. As tartarugas devem ter vozes horríveis.

— A palavra — explicou o reverendo Harmon — vem de uma tradução infeliz. Não se refere a tartaruga, mas a um pássaro.[11] A palavra hebraica, no original, é...

Bunch o interrompeu, abraçando-o.

— De uma coisa eu sei...Você pensa que o Assuero da Bíblia é Artaxerxes II, mas, cá entre nós, é Artaxerxes III.

Como sempre, Julian se surpreendeu com a graça que sua mulher achava daquela anedota.

— Tiglath Pileser vai ajudá-lo no sermão — disse Bunch.

— Ele deve estar muito orgulhoso. Afinal, foi ele quem nos deu a pista de como aconteceu o curto-circuito.

---

[11] O pássaro é uma espécie de pomba, parente da nossa pomba-rola. Em inglês, *turtle dove* (N. da T.).

Epílogo

— Precisamos encomendar uns jornais — disse Edmund a Phillipa, no dia em que voltaram a Chipping Cleghorn, após a lua de mel. —Vamos dar um pulo na loja do Totman.

O sr. Totmam, um homem pesado, de gestos lentos, recebeu-os com amabilidade.

— É um prazer vê-lo de volta, senhor. E senhora.

— Queremos encomendar alguns jornais.

— Pois não. E como vai a senhora, sua mãe? Bem instalada em Bournemouth?

— Ela adora aquilo lá — disse Edmund, que não tinha a menor certeza a esse respeito, mas que, como a maioria dos filhos, preferia acreditar que tudo ia bem com os pais, esses entes tão queridos e, frequentemente, tão irritantes.

— É verdade. Um lugar muito agradável. Passei minhas férias lá, no ano passado. A sra. Totman gostou muito.

— Ótimo. E, quanto aos jornais...

— Eu ouvi dizer que estão apresentando uma peça sua em Londres. Muito divertida, me disseram.

— É, está indo muito bem.

— Ouvi dizer que se chama *Os elefantes também esquecem*. Aliás, desculpe perguntar, senhor, mas sempre pensei que fosse o contrário... que eles não esqueciam, quero dizer.

— É... é verdade... estou começando a acreditar que esse título foi um erro. Não faz ideia de quantas pessoas já vieram me dizer isso.

— Sempre pensei que fosse um fato bastante conhecido.

— E é mesmo. Como aquela história das aranhas comerem os maridos.

— Ah! Elas fazem isso? Veja só, dessa eu não sabia.

— E sobre os jornais...

— *The Times*, senhor? — perguntou o sr. Totman, com o lápis suspenso.

— Quero o *Daily Worker* — disse Edmund, com energia.

— E o *Daily Telegraph* — afirmou Phillipa.

— O *New Statesman* — replicou Edmund.

— O *Radio Times* — pediu Phillipa.

— *The Spectator* — disse Edmund.

— *The Gardeners' Chronicle* — disse Phillipa.

Ambos fizeram uma pausa para recuperar o fôlego.

— Perfeitamente — disse o sr. Totman. — E a *Gazette*, não?

— Não — disse Edmund.

— Não — disse Phillipa.

— Desculpem, querem ou não a *Gazette*?

— Não.

— Não.

— Então... — O sr. Totman não queria que restassem quaisquer dúvidas. — Então, não querem a *Gazette*!

— Não, não queremos.

— Certamente que não.

— Não querem a *North Benham News and Chipping Cleghorn Gazette*...

— Não.

— Não querem recebê-la semanalmente?

— Não.

Edmund, para que tudo ficasse bem claro, ainda acrescentou:

— O senhor entendeu agora?

— Ah, sim... entendi, naturalmente.

Edmund e Phillipa saíram, e o sr. Totman se dirigiu para os fundos da loja.

— Tem um lápis, querida? — ele perguntou. — O meu quebrou a ponta.

— Deixe-me ver — disse a sra. Totman, apanhando seu bloco de anotações. — Eu tomo nota. O que querem eles?

— *Daily Worker, Daily Telegraph, Radio Times, New Statesman, Spectator...* e, também o *Gardeners' Chronicle.*

— O Gardeners' Chronicle — repetiu a sra. Totman, passando para o papel. — E a *Gazette*.

— Eles não querem a *Gazette*.

— O quê?

— Não querem a *Gazette*. Foi o que disseram.

— Bobagem — disse a sra. Totman. —Você não ouviu direito. É claro que querem a *Gazette*! Todo mundo recebe a *Gazette*. Se eles não receberem, como vão saber o que está acontecendo?

Este livro foi impresso em 2021, pela Pancrom,
para a HarperCollins Brasil.
A fonte usada no miolo é Bembo, corpo 11/14.